Vida Silvestre
de los Parques Nacionales
y Reservas de Costa Rica

Michael & Patricia Fogden

Wildlife of the National Parks
and Reserves of Costa Rica

Prefacio

Este libro presenta una visión personal sobre la riqueza de flora y fauna de Costa Rica. Aquí narramos, con fotografías y palabras, historias de la naturaleza sobre las complejas interacciones entre plantas y animales que abundan en las selvas tropicales. Esperamos que estas narraciones puedan proporcionar una visión íntima sobre el funcionamiento de estos bosques y estimular su conservación en Costa Rica y por doquier. Hemos seleccionado las historias de acuerdo con nuestros propios intereses, por lo que no nos disculpamos por incluir tantas fotos de colibríes, ranas y mariposas: estos animales exquisitos personifican el gran atractivo y fascinación de la naturaleza de los bosques tropicales.

Estamos en deuda con todos los investigadores que han documentado la historia natural del Neotrópico. Desde el inicio, con los grandes naturalistas-exploradores de la época victoriana, como Charles Darwin, Alfred Russell Wallace, Henry Bates y Thomas Belt, cuyas observaciones y teorías allanaron el camino para todos los que vinieron posteriormente. Si bien hemos dudado en resaltar a alguno de los biólogos contemporáneos que trabajan en Costa Rica, hacemos algunas excepciones, cuyas investigaciones han sido particularmente interesantes y valiosas en nuestro trabajo: Martha Crump, Philip DeVries, Peter Feinsinger, Larry Gilbert, Bill Haber, Daniel Janzen, George Powell, Alexander Skutch and Gary Stiles.

También queremos agradecer a todos aquellos biólogos que han colaborado en la conservación del bosque tropical, al compartir sus conocimientos y entusiasmo con el público general, mediante conferencias o publicación de libros y artículos populares. Dado que la supervivencia de los bosques depende, en última instancia, de la opinión popular, creemos que cualquier cosa que los biólogos puedan hacer para moldear esa opinión es tan importante, al menos, como lo que publican en las revistas científicas.

Agradecemos en forma especial al selecto grupo de biólogos que han escrito guías de campo para la identificación de plantas y animales de Costa Rica o del neotrópico en general: la capacidad de identificar plantas y animales y entender lo que hacen, aumenta inmensamente el gozo y el valor de observarlos.

Quedamos comprometidos con todos aquellos que nos han ayudado al proveer de hospedaje, permiso para entrar a sus propiedades, apoyo logístico, historias "recién salidas del horno", especímenes e identificaciones (¡incluso algunas erróneas!). No es posible mencionarlos a todos, pero las siguientes personas han contribuido en forma especial al logro de este libro: David Arora, Amos Bien, Sue Boinski, Mario Boza, Anne Brooke, John y Doris Campbell, Eladio Cruz, Kathy Erb, Adrian Forsyth, Gordon y Juta Frankie, Marco Vinicio García, Larry Gilbert, Harry Greene, Thomas Guindon, Wilford Guindon, Craig Guyer, Bill Haber, Winnie Hallwachs, David Hardy, Marc Hayes, David y Carol Hughes, Daniel Janzen, Michael Kaye, Richard Laval, Bonifacio de León, Milton y Diana Lieberman, Jack Longino, Bruce Lyon, Mario Méndez, Gene Montgomery, Toni Nuneri, Clark Ovrebo, Alejandro Solórzano, Walter y Karen Timmerman, Jim Wolfe y Willow Zuchowski. Agradecemos a Alan Pounds por su análisis de la información climática de Monteverde.

Queremos dar las gracias a Angela Sheehan y a Alan Pounds por comentar y editar el texto. Como siempre, Susan Fogden ha sido una gran ayuda en muchos aspectos.

Finalmente, debemos agradecer a Vera C. Varela, Directora Ejecutiva de la Fundación Neotrópica, por su entusiasta acogida a nuestra propuesta para la publicación de este libro, así como a Jéssica Chavarría, Gerente de Actividades Generadoras de Ingresos, quien tuvo a su cargo la edición, por su esmerado y excelente trabajo. También expresamos nuestro agradecimiento a los miembros de la Junta Administrativa y, en especial, a Carlos E. Valerio, quien revisó el texto y realizó una excelente traducción al español.

Preface

THIS book is a personal view of Costa Rica's rich flora and fauna. We tell, with photographs and words, natural history stories about the complex interactions between plants and animals that abound in tropical forests. We hope the stories will provide insight into how tropical forests function and encourage people to help conserve forests in Costa Rica and elsewhere. Our selection of stories reflects our own interests and we make no apology for including many photographs of hummingbirds, frogs and butterflies. These exquisite animals epitomize much of what is most attractive and fascinating about rain forest natural history.

We owe much to the researchers who have documented the natural history of the Neotropics, beginning with the great Victorian explorer-naturalists, including Charles Darwin, Alfred Russell Wallace, Henry Bates and Thomas Belt. Their observations and theories paved the way for all who followed. We hesitate to single out contemporary biologists working in Costa Rica, but make exceptions of the following, whose research we have found particularly interesting and helpful for our own work: Martha Crump, Philip DeVries, Peter Feinsinger, Larry Gilbert, Bill Haber, Daniel Janzen, George Powell, Alexander Skutch and Gary Stiles.

We also wish to acknowledge the biologists who have contributed to the conservation of rain forest by sharing their expertise and enthusiasm with the general public, by lecturing, or writing popular books and articles. The survival of forests depends ultimately on public opinion. We believe that anything biologists can do to help mold that opinion is at least as important as anything they publish in the scientific literature.

For similar reasons, we wish to thank the select group of biologists who have written Costa Rican or Neotropical field guides. Being able to identify plants and animals, and understand what they do, adds immeasurably to the enjoyment and value of observing them.

It is impossible to name everyone who has provided us with hospitality, logistical help, "hot off the press" stories, specimens and identifications (and a few misidentifications), but the following have been particularly helpful with the material in this book: David Arora, Amos Bien, Sue Boinski, Mario Boza, Anne Brooke, John and Doris Campbell, Eladio Cruz, Kathy Erb, Adrian Forsyth, Gordon and Juta Frankie, Marco Vinicio Garcia, Larry Gilbert, Harry Greene, Thomas Guindon, Wilford Guindon, Craig Guyer, Bill Haber, Winnie Hallwachs, David Hardy, Marc Hayes, David and Carol Hughes, Michael Kaye, Daniel Janzen, Richard Laval, Bonifacio de Leon, Milton and Diana Lieberman, Jack Longino, Bruce Lyon, Mario Mendez, Gene Montgomery, Tony Nuneri, Clark Ovrebo, Alejandro Solorzano, Walter and Karen Timmerman, Jim Wolfe and Willow Zuchowski. We are grateful to Alan Pounds for his analysis of Monteverde weather data.

We would like to thank Angela Sheehan and Alan Pounds for commenting on, or editing, the text. As always, Susan Fogden has been a great help in many ways.

Finally, we must thank the staff of the Fundacion Neotropica, notably Vera C. Varela, Executive Director, for her enthusiastic support of our book; Jessica Chavarria, Manager of Commercial Activities, for her meticulous work throughout the book's production; and the members of the Board of Directors, especially Carlos E. Valerio, who reviewed the text and prepared the excellent Spanish translation.

Regiones Ecológicas, Parques Nacionales y Áreas Silvestres

Ecological Regions, National Parks and Wild Lands

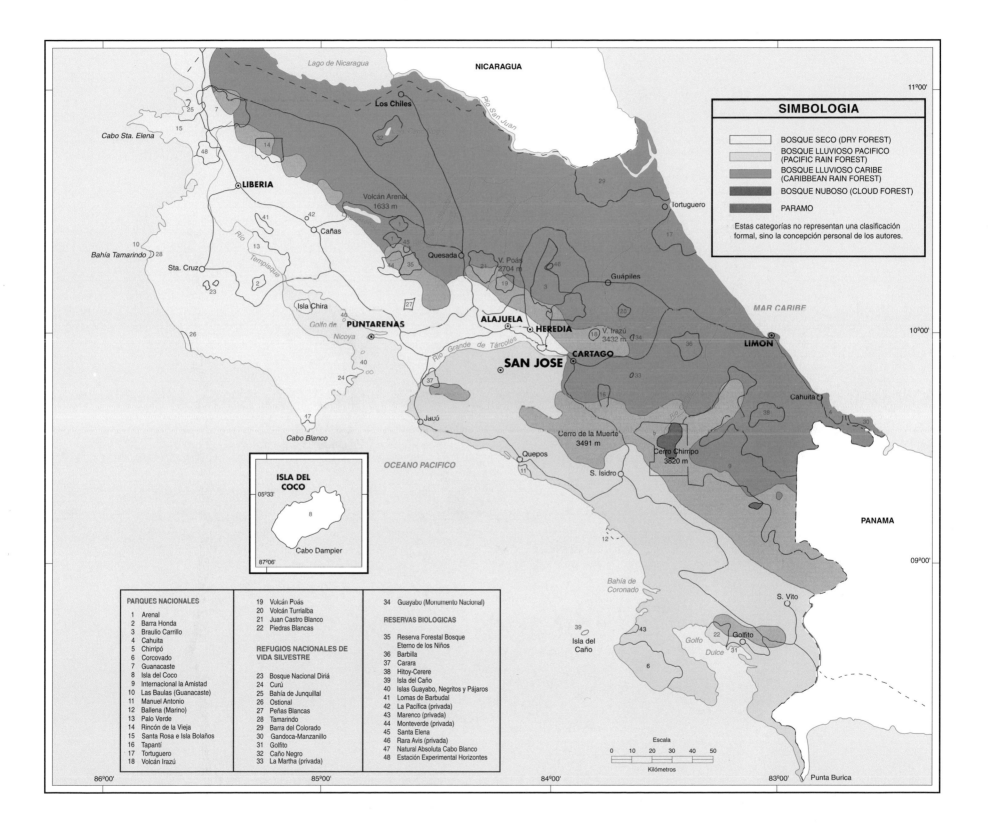

NICARAGUA

Lago de Nicaragua

Los Chiles

Río San Juan

Cabo Sta. Elena

LIBERIA

Volcán Arenal
1633 m

Cañas

Río Tempisque

Sta. Cruz

Bahía Tamarindo

Isla Chira

Golfo de Nicoya

PUNTARENAS

Quesada

V. Poás
2704 m

ALAJUELA

HEREDIA

SAN JOSE

CARTAGO

Guápiles

Tortuguero

MAR CARIBE

LIMON

Cahuita

Río Grande de Tárcoles

V. Irazú
3432 m

Guayabo

Jacó

Cabo Blanco

Quepos

Cerro de la Muerte
3491 m

Cerro Chirripó
3820 m

S. Isidro

OCEANO PACIFICO

ISLA DEL
COCO

05º33'

8

Cabo Dampier

87º06'

PANAMA

Bahía de
Coronado

Isla del
Caño

Golfo
Dulce

S. Vito

Golfito

Punta Burica

11º00'

10º00'

09º00'

86º00'   85º00'   84º00'   83º00'

SIMBOLOGIA

BOSQUE SECO (DRY FOREST)

BOSQUE LLUVIOSO PACIFICO
(PACIFIC RAIN FOREST)

BOSQUE LLUVIOSO CARIBE
(CARIBBEAN RAIN FOREST)

BOSQUE NUBOSO (CLOUD FOREST)

PARAMO

Estas categorías no representan una clasificación
formal, sino la concepción personal de los autores.

PARQUES NACIONALES

1 Arenal
2 Barra Honda
3 Braulio Carrillo
4 Cahuita
5 Chirripó
6 Corcovado
7 Guanacaste
8 Isla del Coco
9 Internacional la Amistad
10 Las Baulas (Guanacaste)
11 Manuel Antonio
12 Ballena (Marino)
13 Palo Verde
14 Rincón de la Vieja
15 Santa Rosa e Isla Bolaños
16 Tapantí
17 Tortuguero
18 Volcán Irazú

19 Volcán Poás
20 Volcán Turrialba
21 Juan Castro Blanco
22 Piedras Blancas

REFUGIOS NACIONALES DE VIDA SILVESTRE

23 Bosque Nacional Diriá
24 Curú
25 Bahía de Junquillal
26 Ostional
27 Peñas Blancas
28 Tamarindo
29 Barra del Colorado
30 Gandoca-Manzanillo
31 Golfito
32 Caño Negro
33 La Martha (privada)

34 Guayabo (Monumento Nacional)

RESERVAS BIOLOGICAS

35 Reserva Forestal Bosque
   Eterno de los Niños
36 Barbilla
37 Carara
38 Hitoy-Cerere
39 Isla del Caño
40 Islas Guayabo, Negritos y Pájaros
41 Lomas de Barbudal
42 La Pacífica (privada)
43 Marenco (privada)
44 Monteverde (privada)
45 Santa Elena
46 Rara Avis (privada)
47 Natural Absoluta Cabo Blanco
48 Estación Experimental Horizontes

Escala

0   10   20   30   40   50

Kilómetros

Introducción

ESTE libro trata sobre los bosques que una vez cubrieran más del 99% del territorio de Costa Rica. Hemos dividido el país en cuatro grandes zonas boscosas: bosque nuboso, bosque lluvioso del Caribe, bosque lluvioso del Pacífico y bosque seco. Como resultado de la historia geológica de Costa Rica, así como de su topografía y su clima, cada una de estas zonas tiene sus propias características distintivas.

Casi no nos referimos aquí a los hábitat no boscosos, pero existen algunos de importancia, a pesar de su poca extensión. Los páramos, que botánicamente guardan afinidad con los páramos andinos en América del Sur, cubren los picos más altos de la cordillera de Talamanca. Asimismo, existen extensos pantanos estacionales en el Refugio Nacional de Fauna Caño Negro y en las vertientes de los ríos Tempisque y Bebedero en el Parque Nacional Palo Verde. Adicionalmente, las idílicas playas costarricenses proveen de sitios de desove, de importancia internacional, a seis especies de tortugas marinas.

Muy pocos países poseen tanta diversidad como Costa Rica en un área tan pequeña. Los números hablan por sí solos: Hay 205 especies de mamíferos (la mitad de ellos murciélagos); más de 830 especies de aves (según *Aves de Costa Rica* de Gary Stiles y Alexander Skutch); más de 400 especies de reptiles y anfibios, entre las que se cuentan 74 de lagartijas, 131 de serpientes y 134 de ranas, entre otros (según *Herpetofauna de Costa Rica* de Jay Savage, próximo a publicarse); y 560 especies de mariposas (de acuerdo con *Butterflies of Costa Rica* de Philip DeVries), sin incluir las familias Riodinidae, Lycaenidae y Hesperiidae, que juntas podrían sumar otras 1.000 especies. Se estima que en Costa Rica existen unas 10.000 especies de plantas superiores, entre ellas 1.200 de orquídeas. Para darles una perspectiva real a estas cifras hay que recordar el tamaño del país, con un área más pequeña que Virginia del Oeste o Nueva Escocia; en relación con Europa, es cerca de un quinto del tamaño del Reino Unido y no mucho más grande que Holanda o Suiza.

Sería llamar a confusión el sugerir que toda esta diversidad se puede observar fácilmente. Buscar animales en el bosque lluvioso puede ser una experiencia frustrante y la desilusión espera a aquel que se aventura en la selva esperando encuentros frecuentes con fauna silvestre exótica. A la mayoría de los mamíferos se los encuentra rara vez; a los

◁ Bosque nuboso en la vertiente caribeña de las montañas de Tilarán.

Introduction

THIS book is concerned with the forests that once covered more than 99% of Costa Rica. We have divided the country into four major forest areas: cloud forest, Caribbean rain forest, Pacific rain forest and dry forest. As a result of Costa Rica's geological history, topography and climate, each has features which make them distinctive.

Non-forest habitats are barely touched on here, but Costa Rica has a few which are quite important, in spite of their small extent. Paramos crown the highest peaks of the Talamanca range – botanically they have affinities with the paramos of the Andes in South America. There are extensive seasonal marshes in Caño Negro National Wildlife Refuge and in the basins of the Rio Tempisque and Rio Bebedero in Palo Verde National Park. Also, Costa Rica's idyllic beaches provide internationally important breeding sites for six species of marine turtles.

Few countries possess as much diversity as Costa Rica in so small an area. The numbers speak for themselves. There are 205 species of mammals (half of them bats); over 830 species of birds (according to the *Birds of Costa Rica* by Gary Stiles and Alexander Skutch); over 400 species of reptiles and amphibians, including 74 lizards, 131 snakes and 134 frogs (according to the soon-to-be-published *Herpetofauna of Costa Rica* by Jay Savage); and 560 species of butterflies (according to the *Butterflies of Costa Rica* by Philip DeVries), not counting metalmarks (Riodinidae), blues (Lycaenidae) or skippers (Hesperiidae), families which together total another 1,000 species. It is estimated that there are some 10,000 species of higher plants in Costa Rica, including about 1,200 orchids. To put these impressive figures into perspective, remember Costa Rica's size. With an area of just over 51,000 km2, it is smaller than West Virginia or Nova Scotia. In European terms, it is about one fifth the size of the United Kingdom and not much bigger than Holland or Switzerland.

It would be misleading to suggest that all this diversity is easily seen. Looking for animals in rain forest can be a frustrating experience and disappointment awaits anyone who ventures into the forest expecting frequent sightings of exotic wildlife. Most mammals are rarely encountered and birds are more often heard than seen. Fleeting glimpses are the rule. But rain forest is full of interest for the naturalist who walks

Cloud forest on the Caribbean slope of the Tilaran mountains.

pájaros es más fácil oírlos que verlos, y si se los ve es de pasada. Pero el bosque lluvioso es interesantísimo para el naturalista que camina quietamente por los senderos, alerta al menor movimiento y pendiente de pequeños detalles. Para algunos, el hecho mismo de estar en una selva virgen, llena de sonidos y fragancias propias, puede ser una experiencia inspiradora, y aun espiritual.

América del Norte y América del Sur no siempre han estado unidas por el istmo centroamericano. Durante millones de años, las faunas de ambos continentes evolucionaron separadamente. Las tierras que llegarían a ser la región sureste de América Central, incluida Costa Rica, se iniciaron como una serie de islas volcánicas que sufrieron períodos alternos de levantamiento y erosión. Aunque se dieron conexiones intermitentes entre isla e isla, sólo hace entre tres y cinco millones de años que, finalmente, ambas Américas quedaron unidas.

Esta conexión permitió que faunas muy distintas pasaran en ambas direcciones, en lo que se conoce como el "gran intercambio faunístico". Los mamíferos en Costa Rica se derivan por partes iguales de los dos continentes: los felinos, caninos, chanchos de monte y venados son oriundos de América del Norte, mientras que las zarigüeyas, perezosos, osos hormigueros y monos llegaron de América del Sur. Los reptiles y anfibios de Costa Rica también tienen orígenes similarmente repartidos entre estos continentes. Por otro lado, las especies de aves residentes en el país son predominantemente de origen sureño, excepto aquellas del bosque seco y del páramo.

El proceso de intercambio está lejos de haber finalizado: a Costa Rica continúan llegando algunas especies, principalmente de sabana, que se sirven de las brechas abiertas con la destrucción de los bosques. Entre estas especies recién llegadas se destacan las siguientes aves: la tortolita colilarga y el tordo cantor, procedentes del norte; el caracara cabecigualdo, la codorniz crestada, el tijo o garrapatero de pico liso y el tordo pechirrojo del sur.

Lamentablemente, el bosque tropical ya no cubre grandes extensiones en Costa Rica. Este se ha visto, tradicionalmente, como algo inútil, y siempre han existido dos buenas razones para cortarlo: sacarle la madera y "mejorar" el terreno, al hacerlo disponible para agricultura. Como resultado, las tierras bajas de Costa Rica han sido, casi en su totalidad, "mejoradas" y los bosques remanentes se encuentran en áreas de utilidad marginal para agricultura, especialmente en las tierras altas. Las tierras bajas son terrenos de pastizales, plantaciones de café, banano y palma africana, así como cañales y arrozales.

the trails quietly, alert for movement and sensitive to subtle details. For some, just being in primeval forest with its evocative sounds and smells can be an inspiring, even spiritual, experience.

North and South America were not always joined together by the Central American isthmus. For many millions of years the faunas of the two continents evolved in isolation. The land that was to become southern Central America, including Costa Rica, began as a chain of volcanic islands that underwent successive periods of uplift and erosion. There were intermittent connections between the islands but it was not until three to five million years ago that North and South America were finally joined together.

The new land bridge allowed the two different faunas to pass in both directions in what is known as the "great faunal interchange". Costa Rican mammals are derived equally from both continents. Cats, canines, peccaries and deer originated in North America, while opossums, sloths, anteaters and monkeys arrived from South America. The reptile and amphibian faunas of Costa Rica are also derived from both continents. On the other hand, except in dry forest and paramo, Costa Rican breeding birds are predominantly South American in origin.

The process of intermixing is by no means over. Species continue to arrive in Costa Rica, though arrivals nowadays are mainly savanna species, moving along corridors opened up by the destruction of forests. Among birds, Inca Doves and Melodious Blackbirds are recent arrivals from the north, Yellow-headed Caracaras, Crested Bobwhites, Smooth-billed Anis and Red-breasted Blackbirds from the south.

Sadly, tropical forest no longer covers most of Costa Rica. Traditionally, standing forest has been seen as worthless and there have always been two good reasons to cut it down: to sell the timber and to "improve" the land by making it available for agriculture. As a result, lowland Costa Rica has been almost completely "improved" and the remaining forest is in areas that are marginal for agriculture, especially the highlands. Lowland Costa Rica consists mainly of cattle pastures, plantations of coffee, bananas and oil palms, and fields of sugar cane and rice.

Fortunately, most of the forest that does survive is protected in national parks and reserves. Costa Rica's National Parks Service came into being as recently as 1970, but within only 15 years came to be regarded as a shining example to the world. Such remarkable progress in so short a time owes much to Mario Boza, the first director of

Bosque lluvioso en las llanuras del Caribe.

Rain forest in the Caribbean lowlands. ▷

Por fortuna, la mayor parte de los bosques que sobreviven están protegidos en parques nacionales y reservas. El sistema de parques nacionales de Costa Rica se estableció recién en 1970, pero, en escasos 15 años, ha llegado a ser un brillante ejemplo para el mundo. Un avance tan sorprendente en tan corto tiempo se le debe en mucho a Mario Boza, el primer director (y único empleado en esa época) del Servicio de Parques Nacionales, y a Alvaro Ugalde, el segundo director. Como ambos han comentado, el pueblo costarricense, debido a su educación y gran motivación, estaba preparado para las ideas conservacionistas. Para 1997 el sistema de parques nacionales y reservas ha crecido hasta incluir 24 parques y muchas otras áreas protegidas: un total de 900.000 hectáreas, equivalente al 18% del territorio nacional. Si se incluyen todas las zonas que reciben cierto grado de protección, ese total asciende a 1.611.532 hectáreas, la extraordinaria proporción del 32% del país. El sistema de parques nacionales de Costa Rica tiene proyecciones internacionales: el Parque Internacional de La Amistad se extiende más allá de la frontera con Panamá; también existen planes para un corredor mesoamericano, que uniría zonas boscosas a todo lo largo del istmo hasta México. Debe además mencionarse la contribución de las reservas privadas. La Reserva de Bosque Nuboso Monteverde y el adyacente Bosque Eterno de los Niños son notables ejemplos de lo que se puede lograr mediante la participación popular en conservación.

En los años setenta, los parques nacionales y reservas costarricenses se convirtieron en punto de encuentro de filmadores y periodistas, lo que constituyó un acontecimiento importante. Las numerosas películas que luego aparecieron en televisión cautivaron la audiencia en Costa Rica, América del Norte y Europa, y sirvieron para concientizar sobre la necesidad de conservar los bosques tropicales. Adicionalmente, la publicidad generada por programas de televisión y artículos fue un factor que contribuyó grandemente al desarrollo del turismo de historia natural en el país. Este incremento en ecoturismo ha orientado un giro total en los esquemas de conservación a lo largo de Costa Rica: más y más terrenos privados están siendo protegidos para salvaguardar los intereses turísticos. Esta es una tendencia muy positiva, puesto que los bosques sólo pueden estar verdaderamente a salvo en la medida en que provean de beneficios económicos tangibles a la comunidad. El empleo es uno de los beneficios más tangibles: nadie querría destruir el bosque que le prodiga su subsistencia.

the National Parks Service (and its only employee at its inception), and Alvaro Ugalde, the second director. As both men have commented, the well-educated and concerned populace of Costa Rica was ready for the idea of conservation. By 1997 the system of national parks and reserves had grown to include 24 national parks and many other protected areas, totaling 900,000 hectares, equivalent to 18% of Costa Rica's land area. If all areas receiving some degree of protection are included, the total rises to 1,611,532 hectares, an extraordinary 32% of the country. The Costa Rican National Parks System has international dimensions. La Amistad (Friendship) International Park extends across the border into Panama and there are plans for a Meso-American Corridor which would link forests from Mexico to Panama. Mention must also be made of the part played by private reserves. The Monteverde Cloud Forest Preserve and the adjoining Children's Eternal Forest are outstanding examples of what can be achieved by grassroots conservation.

In the 1970s, Costa Rica's national parks and reserves became a major destination for film-makers and journalists. This was an important development. The numerous films that subsequently appeared on television reached a big audience in Costa Rica, North America and Europe and promoted awareness of the need to conserve rain forest. Also, the publicity generated by television programs and articles was a huge factor in the growth of natural history tourism in Costa Rica. Increased tourism has led to an upswing in conservation schemes throughout Costa Rica. More and more private land is being protected to safeguard natural history tourism. It is an encouraging trend, for forests will be truly safe only where they provide tangible economic benefits for the local populace. Employment is about as tangible as benefits can be - nobody wants to destroy the forest that provides their livelihood.

Costa Rica has also become a major center for research on tropical forests. The Organization for Tropical Studies (OTS) is a consortium of Costa Rican and North American universities and its principal field site, La Selva Biological Station, is one of the most important in the Neotropics. Other organizations involved in research include the Tropical Science Center (TSC), a non-profit consortium which promotes the protection and wise use of tropical forests, and the National Biodiversity Institute (INBio), which was formed to make an inventory of biodiversity and promote a greater awareness of its value.

Una de las muchas playas idílicas en el Parque Nacional Manuel Antonio.

One of the many idyllic beaches in Manuel Antonio National Park. ▷

Costa Rica también se ha convertido en un valioso centro de investigación sobre bosques tropicales. La Organización para Estudios Tropicales (OET) es un consorcio de universidades costarricenses y estadounidenses, cuyo principal sitio de trabajo, la Estación Biológica La Selva, constituye uno de los centros más importantes de investigación en el neotrópico. Entre otras organizaciones que realizan estudios en este campo se incluyen el Centro Científico Tropical (CCT), una institución sin fines de lucro que promueve la protección y utilización razonable de los bosques tropicales, y el Instituto Nacional de Biodiversidad (INBio), formado para llevar a cabo el inventario nacional de diversidad biológica y para impulsar una mayor conciencia del valor de esos recursos.

Ciencia y conservación se hallan inextricablemente ligados en Costa Rica. Mientras que el Sistema Nacional de Areas de Conservación, que administra los parques nacionales, estimula y apoya diligentemente la investigación, muchos científicos y organizaciones científicas participan activamente en varios proyectos de conservación importantes.

En este punto, debemos introducir una nota de advertencia: El valiente intento costarricense de preservar su flora y fauna no garantiza una ausencia de problemas. Los parques nacionales y reservas situadas en las fértiles tierras bajas son islas a menudo muy pequeñas para animales que necesitan grandes extensiones para sobrevivir en medio de un océano agrícola. El cariblanco, uno de los chanchos de monte, que vaga en manadas de entre 50 y 100 individuos, ya ha desaparecido de la mayor parte de sus territorios originales en Costa Rica. El jaguar y la danta o tapir son vulnerables. La sobrevivencia del águila harpía y la lapa verde o guacamayo verde mayor está pendiente de un hilo: es posible que se extingan de Costa Rica en un futuro cercano, aunque también existen en América del Sur y podrían sobrevivir allá. Los límites de los parques deben tomar en cuenta las necesidades de los animales de dispersarse y realizar viajes migratorios; en este sentido, se requieren algunos parques que alcancen desde las tierras bajas hasta las cimas de montañas adyacentes.

Es un hecho lamentable que ahora vivamos en un mundo contaminado, bajo la amenaza de un calentamiento global, hoyos en la capa de ozono y lluvia ácida. Asimismo, la introducción de especies foráneas es otra forma de contaminación que ha causado extinciones en muchas partes del mundo. Ante tales amenazas, que no reconocen fronteras internacionales, la protección de la diversidad biológica puede llegar a ser difícil o imposible en el nivel nacional. Es muy probable que alguno de estos factores externos haya sido el responsable de la desaparición del sapito dorado en la Reserva de Monteverde, donde había estado protegido por 20 años.

Science and conservation are inextricably linked in Costa Rica. The National Parks System actively encourages and supports research, while scientists and scientific organizations have initiated or been active participants in several major conservation projects.

At this point, we must introduce a cautionary note. Costa Rica's courageous attempt to preserve its flora and fauna is not without problems. National parks and reserves in the fertile lowlands are islands in an ocean of agriculture, often too small for animals that need large areas of land to survive. The White–lipped Peccary, which roams widely in bands of 50 to 100 or more animals, has already disappeared from most of its former Costa Rican range. The Jaguar and Baird's Tapir are vulnerable. The Harpy Eagle and Great Green Macaw are hanging on by a thread; they are likely to become extinct in Costa Rica in the near future, though they also occur in South America and may survive there. It is obvious that the boundaries of parks should take account of the needs of animals to disperse and migrate. Parks are needed that reach from the lowlands to the tops of adjacent mountains.

It is an unfortunate fact that we now live in a polluted world which is experiencing global warming, ozone holes and acid rain. Exotic introductions are another form of pollution which have caused extinctions in many parts of the world. In the face of such threats, which reach insidiously across international boundaries, the protection of biodiversity can become difficult or impossible at a national level. It is likely that one or other of these external threats was responsible for the disappearance of the Golden Toad in the Monteverde Cloud Forest Preserve, where it had been protected for over 20 years.

Un cortez amarillo florecido, solitario entre árboles sin hojas, al final de la época seca en la Reserva Biológica Lomas Barbudal.

A lone Yellow Cortez in Lomas Barbudal Biological Reserve, ▷ flowering among leafless trees at the end of the dry season.

Costa Rica yace en el istmo que une los continentes de América del Norte y del Sur. Al formarse este puente, hará de tres a cinco millones de años, se pusieron en contacto dos grupos fáunicos muy diferentes. Entre los mamíferos el intercambio fue bastante equilibrado: del sur llegaron a América del Norte zarigüeyas, osos hormigueros, perezosos, armadillos y monos, mientras que del norte vinieron los felinos, cánidos (familia de los perros), osos, chanchos de monte (cariblanco y saíno) y venados.

Debido a su posición central en este puente ístmico, Costa Rica tiene una rica mezcla de estas dos faunas. El caucel, **a la izquierda**, es originario de América del Norte, en tanto que el perezoso de dos dedos, **arriba a la derecha**, y el zorricí, **abajo a la derecha**, representan familias suramericanas. Tristemente, muchas de las especies que participaron en este gran intercambio de mamíferos ya están extintas: caballos ancestrales, camellos, mamuts y perezosos terrestres gigantes se pasearon una vez por territorio costarricense.

Costa Rica sits on the land bridge between the continents of North and South America. When the bridge was formed, about three to five million years ago, it allowed two very different faunas to intermingle. The exchange of mammals between the two continents was more or less equal. New arrivals in North America included opossums, anteaters, sloths, armadillos and monkeys, while mammals reaching South America for the first time included cats, foxes, bears, peccaries and deer. Situated in the middle of the bridge, Costa Rica's mammal fauna is a rich mixture from both continents. The Margay, **left**, originated in North America, while the Two-toed Sloth, **top right**, and the Mouse Opossum, **bottom right**, represent South American families. Sadly, many of the species that took part in the great mammalian interchange are now extinct on both continents. Ancient horses, camels, mammoths and giant ground sloths once roamed through Costa Rica.

Los bosques lluviosos neotropicales albergan la mayor diversidad de aves del planeta. La diminuta Costa Rica, por su parte, cuenta con más de 830 especies, tantas como los Estados Unidos o Australia.

Con su pico extravagante y multicolor, el tucán pico iris o curré, **arriba a la derecha**, materializa la imagen que todo el mundo tiene de un ave tropical exótica. Su largo pico es ideal para obtener frutas, su alimento básico, aunque también es eficiente para hacerse con uno que otro insecto, escorpión, lagartija, culebra pequeña o polluelo con que complementa su dieta.

El momoto común o pájaro bobo, **a la izquierda**, pertenece a una pequeña familia originaria de América Central. Su suave tonada de dos notas, *"juup-juup"*, ha inspirado tanto el nombre de la familia (en inglés "motmot") como el nombre común en Costa Rica (*"bobo"*). Este último nombre también podría referirse a la apariencia confianzuda del ave.

Existen 52 especies de colibríes en Costa Rica, entre los que el esmeralda de coronilla cobriza, **abajo a la derecha**, que aparece aquí alimentándose de la orquídea *Maxillaria fulgens,* es una de las dos especies endémicas. Habita en el bosque nuboso y se lo puede ver fácilmente en la Reserva Monteverde.

Neotropical rain forests have the greatest diversity of birds on earth. Tiny Costa Rica has over 830 species, about as many as the USA or Australia.

With its flamboyant, rainbow-colored bill, the Keel-billed Toucan, **top right**, fits everyone's idea of an exotic tropical bird. The long bill is ideal for reaching fruit, its staple food, and also deals efficiently with the occasional insect, scorpion, lizard, small snake or nestling bird with which it varies its diet.

The Blue-crowned Motmot, **left**, belongs to a small family that originated in Central America. Its soft, double hoot *"hoop-hoop"* is probably the origin of both the family name "motmot" and the Costa Rican name "*bobo*". Bobo means "stupid", so the name may also refer to the motmot's confiding nature.

There are 52 species of hummingbirds in Costa Rica. The Coppery-headed Emerald, **bottom right**, here feeding at the orchid *Maxillaria fulgens,* is one of two that are endemic. It is a cloud forest species and easily seen in the Monteverde Preserve.

En la tibieza y humedad de los bosques tropicales prosperan los reptiles y los anfibios, la mayoría de los cuales son oscuros y poco llamativos, pero algunos exhiben gran colorido y ornamento. De entre las 220 especies de reptiles y 180 de anfibios de Costa Rica, hay varias que se hallan entre las más bizarras y coloridas de la Tierra.

Con grandes crestas foliáceas en la cabeza y la espalda, el cherepo o basilisco esmeralda, **a la derecha**, es de los más ornamentados desde cualquier punto de vista. Pero en su ambiente natural, entre el follaje sobre un riachuelo del bosque, se confunde perfectamente con el entorno.

Por otro lado, la serpiente coral, **abajo a la izquierda**, está diseñada para resaltar: sus anillos alternos negros, rojos y amarillos advierten a los depredadores sobre su veneno. Algunos depredadores evitan las corales en forma instintiva, y muchas culebras no venenosas se benefician imitando el patrón de colores de la coral.

La rana de ojos rojos, **arriba a la izquierda**, es la máxima expresión de una rana extravagante, además de una de las más conocidas, pues su imagen ha iluminado las páginas de muchos libros y revistas sobre los bosques tropicales.

Reptiles and amphibians thrive in the warmth and humidity of tropical forests. Most are drab and inconspicuous but some are bright and showy. Among Costa Rica's 220 reptiles and 180 amphibians, there are several that are as bizarre and colorful as any on earth.

With huge, leaf-like crests on its head and back, the Emerald Basilisk, **right**, is ornate by any standard. But in a natural setting, amidst foliage above a forest stream, it blends perfectly with its surroundings.

This Coral Snake, **bottom left**, is designed to be conspicuous. Its alternating rings of black, red and yellow are a warning to predators that it is venomous. Some predators avoid coral snakes instinctively and many harmless snakes benefit by mimicking the coral pattern.

The Red-eyed Frog, **top left**, is the ultimate in gaudy frogs. It is also well known, because its image appears in many books and magazines about rain forests.

Costa Rica tiene una fantástica diversidad de insectos, algunos de los cuales se hallan entre los más llamativos del mundo. El chapulín depredador *Lirometopum coronatum,* **a la izquierda**, es uno de los más bizarros. Con sus mandíbulas enormes, se alimenta de insectos y pequeñas lagartijas, al igual que con manjares más propios de los chapulines, como frutas, néctar y hojas.

De todas las mariposas del neotrópico, son las morfos, con sus alas de azul iridiscente y su vuelo ondulante, las más famosas y espectaculares. El azul de sus alas es un color estructural, producido por interferencia con la luz, similar a los verdes, violetas y rojos de los colibríes.

Morpho peleides, **arriba a la derecha**, es la más rebosante de las morfos en Costa Rica. El escarabajo dorado, **abajo a la derecha**, es un abejón común y corriente en forma y tamaño, pero obtiene toda su distinción del color dorado puro y su textura lustrosa. Junto con el escarabajo plateado, son especies bastante comunes en las selvas vírgenes.

Costa Rica has a wonderful diversity of insects, including some that are as ornate as any in the world. *Lirometopum coronatum*, **left**, is a bizarre predatory grasshopper with huge jaws. It feeds on small lizards and insects, as well as more conventional grasshopper fare, such as fruit, nectar and leaves.

Of all Neotropical butterflies, the huge morphos, with their iridescent blue wings and undulating flight, are the most spectacular. Morpho blue is a structural color, not a pigment. It is produced by interference of light, in the same way as the iridescent greens, violets and reds of hummingbirds.

Morpho peleides, **top right**, is the most plentiful morpho in Costa Rica. The Golden Beetle, **bottom right**, is a normal scarab in size and shape; its distinction lies in its pure golden color and lustrous texture. A closely related scarab is pure silver. Both species are common in cloud forest.

La epífitas crecen profusamente en el bosque lluvioso o en el bosque nuboso, donde la abundante lluvia y la niebla traída por el viento establecen condiciones óptimas que perduran todo el año. Musgos, helechos y plantas con flores crecen sobre los troncos y las ramas de los árboles en una serie increíble de formas y colores. En la mayoría de las familias vegetales se encuentran especies epífitas, pero son particularmente abundantes entre las orquídeas, bromeliáceas y gesnereáceas. La guaria morada, **arriba a la izquierda**, flor nacional de Costa Rica, es una especie con grandes y vistosas flores, muy usada por los cultivadores de orquídeas en la producción de nuevos híbridos. Algunas bromeliáceas, como *Guzmania nicaraguensis*, **abajo a la izquierda**, poseen hojas y brácteas coloridas que atraen colibríes. Entre la base de las hojas de muchas bromelias se acumula agua, lo cual es de importancia para la fauna silvestre: los monos y otros animales arborícolas beben agua allí y varias ranas e invertebrados encuentran un lugar apropiado para reproducirse. Las flores pendientes de *Columnea microcalyx*, **a la derecha**, visitadas y polinizadas por el ermitaño verde, salpican el ambiente del bosque nuboso de hermosos colores.

Epiphytes grow in great profusion in rain forest and cloud forest, where abundant rain or wind-driven mist provide optimum conditions throughout the year. Mosses, ferns and flowering plants grow on every trunk and branch in a fantastic array of shapes and colors.
Epiphytic species are found in most plant families but are especially abundant in the orchids, bromeliads and Gesneriaceae. The Guaria Morada orchid, **top left**, is Costa Rica's national flower. It is a large, showy species which is much used by orchid breeders to produce new hybrids. Some bromeliads, including *Guzmania nicaraguensis*, **bottom left**, have colorful leaves or bracts which attract hummingbird pollinators. The leaves of bromeliads often contain a central reservoir of water which is important for wildlife. It provides drinking water for monkeys and other arboreal animals, as well as places to breed for various frogs and invertebrates. The cascading flowers of *Columnea microcalyx*, **right**, provide welcome splashes of color in the cloud forest. They are visited and pollinated by Green Hermits.

La gran diversidad biológica de Costa Rica, la ha convertido en un destino popular para el turismo de historia natural.
En el Parque Nacional Tortuguero, los turistas pueden disfrutar viajes en bote, a lo largo de escénicos canales, **arriba**. Hay monos, perezosos, loras y tucanes, y por la noche se ven murciélagos pescadores, pájaros bruja y caimanes. El Parque Nacional Corcovado, **a la izquierda**, es un área silvestre excitante, donde se pueden ver lapas rojas, cuatro especies de monos, jaguares y dantas. Una de las cataratas más bellas de Costa Rica, **a la derecha**, se encuentra cerca del albergue de montaña Rara Avis, en una región escabrosa colindante con el Parque Nacional Braulio Carrillo.

Costa Rica's great diversity, combined with its small size, has made it a popular destination for natural history tourism.
In Tortuguero National Park, tourists can enjoy leisurely boat trips along winding, scenic waterways, **above**. Monkeys, sloths, parrots and toucans are abundant, while trips at night reveal specialties such as Fishing Bats, Great Potoos and Spectacled Caimans. Corcovado National Park, **left**, is an exciting wilderness where it is easy to see Scarlet Macaws and four species of monkeys. Jaguars and Baird's Tapirs are relatively common. One of the most beautiful waterfalls in Costa Rica, **right**, is just a few minutes walk from Rara Avis, a lodge that offers good birding in rugged terrain next to Braulio Carrillo National Park.

Costa Rica ha llegado a ser un importante centro para la investigación en biología tropical. El profesor Larry Gilbert, **a la izquierda**, ha estudiado las mariposas de las pasionarias (Heliconiinae) en el Parque Nacional Corcovado durante muchos años. Los parques y reservas nacionales tienen un papel muy importante en la educación, pues proveen de oportunidades, a niños de todo el país, para aprender sobre su rica herencia natural. Estos niños costarricenses, **a la derecha**, están aprendiendo sobre el bosque nuboso en la Reserva Monteverde.

Costa Rica has become a major center for research in tropical biology. Professor Larry Gilbert, **left**, has studied passion flower butterflies (Heliconiinae) in Corcovado National Park for many years. National parks and reserves play an important educational role, providing opportunities for children from all over the country to learn about their rich natural heritage. These young Costa Rican children, **right**, are learning about cloud forest in the Monteverde Preserve.

Bosque Nuboso

EL bosque nuboso cubre las cimas de las montañas de Costa Rica, excepto las más altas. Las nubes, impulsadas por los vientos alisios del noreste, se extienden hacia arriba y sobre las montañas, a través de las copas de los árboles, bañando el bosque de humedad. El bosque nuboso es un sitio encantado con árboles retorcidos, festoneados de orquídeas, bromelias y otras epífitas que prosperan con la alta humedad, donde las gotas de rocío se adhieren a las hojas incontables y brillan cuando la luz del sol se filtra a través de la niebla.

Los bosques nubosos que crecen a barlovento en laderas de picachos expuestos, se conocen como bosques enanos. Allí, el fuerte viento poda y moldea los árboles atrofiados y sus ramas malformadas hasta configurar un dosel liso y perfilado, a cuya sombra yace una maraña impenetrable de troncos caídos, ramas y raíces; unos árboles crecen sobre otros y todo se halla cubierto por densas alfombras de musgos.

Las partes altas de las montañas de Costa Rica y de Chiriquí (en el oeste de Panamá) forman una unidad desde el punto de vista zoogeográfico. Se iniciaron como un arco de islas volcánicas que sufrieron una serie de levantamientos hasta culminar con las cordilleras que vemos hoy. Este sistema montañoso Costa Rica-Chiriquí, aislado durante millones de años, ha servido de cuna a muchas especies de plantas y animales. Unas 50 aves son endémicas de esta región: especies tan notables como la pava negra, el colibrí garganta de fuego, la cocora, el capulinero negro y amarillo y la zeledonia. La mayoría de estos endémicos del bosque nuboso son parientes de aves de los Andes, en América del Sur, y muchos de los no endémicos son especies andinas que encuentran aquí el límite norte de su ámbito de distribución. Solamente a mayor altura, cerca de la línea de la madera y en los páramos, dominan las especies de afinidad norteña.

El quetzal es, sin duda, el habitante más señalado del bosque nuboso y, por su extraordinario encanto, el ave más apreciada por la gente que visita el país. Afortunadamente, es bastante fácil de encontrar en Monteverde y en el Cerro de la Muerte. Tiene la reputación de ser el pájaro más bello en todo el Nuevo Mundo; compite sólo con las aves del paraíso, del Viejo Mundo, por el primer lugar. Alexander Skutch lo describe así: "El macho es un pájaro bello sobremanera, el más bello, considerando todas las cosas, que haya visto jamás. Debe su belleza a la intensidad y violento contraste de sus colores, al lustre y brillo resplandeciente de su plumaje, a la elegancia de sus ornamentos, a lo simétrico de sus formas y a la noble dignidad de su porte".

◁ Región superior del valle de Peñas Blancas en la Reserva del Bosque Nuboso Monteverde.

Cloud Forest

CLOUD forest clothes the tops of all but the highest of Costa Rica's mountains. Driven by the northeast trade winds, clouds sweep up and over the mountains and through the tree tops, bathing the forest in moisture. Cloud forest is a fairyland of gnarled trees, festooned with orchids, bromeliads and other epiphytes which thrive in the high humidity. Beads of moisture cling to countless leaves and sparkle when sunlight filters through the mist.

Cloud forest on the windward side of exposed ridges is known as elfin forest. Its trees are stunted and their misshapen branches pruned and sculptured by strong winds into a smooth, streamlined canopy, beneath which lies an impenetrable tangle of fallen trees, branches and roots. Trees grow on trees and every surface is concealed by thick mats of moss.

Zoogeographically, the highlands of Costa Rica and the Chiriqui mountains in western Panama are a single unit. Beginning as a volcanic island arc, they underwent a series of uplifts, culminating in the mountain range that we see today. Isolated for millions of years, the Costa Rica-Chiriqui highlands have long been a center of speciation for plants and animals. Some 50 birds are endemic to this region, including such notable species as the Black Guan, Fiery-throated Hummingbird, Prong-billed Barbet, Black-and-yellow Silky Flycatcher and Wrenthrush. Most of the cloud forest endemics are related to birds in the Andes of South America and many of the non-endemics are Andean species at the northernmost limit of their range. Only around the tree line and in paramo do northern birds predominate.

The Resplendent Quetzal is undoubtably the most famous inhabitant of the cloud forest. It has an extraordinary allure and is the bird that visitors to Costa Rica most want to see. Fortunately, it is quite easy to find at Monteverde and on the Cerro de la Muerte. It is reputed to be the most beautiful bird in the New World, vying with the Old World's birds-of-paradise as the most beautiful of all. Alexander Skutch had this to say: "The male is a supremely lovely bird; the most beautiful, all things considered, that I have ever seen. He owes his beauty to the intensity and arresting contrast of his coloration, the resplendent sheen and glitter of his plumage, the elegance of his ornamentation, the symmetry of his form, and the noble dignity of his carriage".

The upper Peñas Blancas valley in Monteverde Cloud Forest Preserve.

El quetzal es un clásico ejemplo de un migratorio altitudinal: al finalizar su época de cría, se desplaza montaña abajo, a zonas donde los frutos se encuentran más fácilmente. En forma similar se mueven el curré o tucancillo verde, el jilguero o solitario cara negra y otros pájaros frugívoros. Estos movimientos migratorios, además, les permiten escaparse del terrible mal tiempo que prevalece en las altas montañas durante la época lluviosa. En la zona de Monteverde, se ha equipado con pequeños radiotransmisores a algunos quetzales, lo que permite seguir sus movimientos. Sus migraciones siguen una ruta compleja, que corresponde a la distribución de los árboles de aguacatillo, cuyos frutos maduran en diferentes épocas según la altitud.

Mientras los quetzales y la mayoría de aves frugívoras no descienden más allá del pie de las colinas, el pájaro campana o rin-rán se desplaza por todo el país, hasta bosques de tierras bajas tanto del Pacífico como del Caribe. Esta ave ha declinado en forma drástica en la zona de Monteverde uno de sus sitios preferidos para reproducción debido, posiblemente, a la deforestación en las tierras bajas. Estos aprietos del pájaro campana sirven para enfatizar en la necesidad de establecer parques nacionales que alberguen a los animales durante todo el año, y no solamente en la época de reproducción.

Los colibríes también se desplazan altitudinalmente en concordancia con diferentes regímenes de floración, y unos cuantos viajan a lo largo de la división continental o descienden a altitudes menores. La chispita de garganta naranja , por ejemplo, se reproduce en las alturas de las cordilleras Central y de Talamanca, pero baja a la cordillera de Tilarán en la época de inactividad reproductiva.

En Costa Rica, extensas zonas de bosque nuboso están bajo protección en parques nacionales y reservas, que se extienden a lo largo de la división continental, desde el volcán Orosí al norte hasta el Parque Internacional de La Amistad en la frontera panameña. La Amistad se encuentra adjunto a otros tres parques (Chirripó, Hitoy-Cerere y Tapantí) y juntos cubren un área de 258.337 hectáreas. Esta enorme área silvestre fue declarada "Reserva de la Biosfera" por la UNESCO en 1982 y "Sitio de Patrimonio Mundial" en 1983. El Chirripó Grande es el pico más alto de Costa Rica, con una altura de 3.819 metros sobre el nivel del mar, y estuvo cubierto de glaciares hasta hace unos 10.000 años.

A sólo una hora de San José, el Volcán Poás es el parque nacional más visitado de Costa Rica. Si bien el gigantesco cráter activo es la principal atracción, el bosque nuboso que rodea el bello lago del extinto cráter Botos provee de una buena oportunidad para observar sus aves y plantas características.

The Resplendent Quetzal is a classic example of an altitudinal migrant. Like the Emerald Toucanet, Black-faced Solitaire and other fruit-eating birds, the quetzal moves downslope at the end of the breeding season to areas where fruit is easier to find. By moving, it also avoids the atrocious weather that prevails at high altitudes during the wet season. In the Monteverde area, quetzals have been fitted with tiny radio transmitters, enabling their movements to be tracked. Their migrations follow a complex path, responding to the distribution of wild avocado trees that have ripe fruit at different times at different altitudes.

While quetzals and most other frugivorous birds descend no further than the foothills, the Three-wattled Bellbird migrates all over the country, utilizing forest in the lowlands on both the Pacific and Caribbean slopes. It has declined drastically in the Monteverde area, one of its breeding strongholds, presumably because of deforestation in the lowlands. The plight of the bellbird emphasizes the need for national parks that can support animals throughout the year, not just during their breeding season.

Hummingbirds also move altitudinally in response to different flowering regimes and a few move along the continental divide, as well as to lower altitudes. The Scintillant Hummingbird, for example, breeds at high altitudes in the Central and Talamanca ranges but reaches the Cordillera de Tilaran in the non-breeding season.

Huge areas of cloud forest are protected in Costa Rica in national parks and reserves that are strung out along the continental divide, from Volcan Orosi in the north to La Amistad International Park on the Panamanian border. La Amistad adjoins three other parks - Chirripo, Hitoy-Cerere and Tapanti - and together they cover an area of 258,337 ha. This enormous wilderness was declared a "Biosphere Reserve" by UNESCO in 1982 and a "World Heritage Site" in 1983. Cerro Chirripo is the highest mountain in Costa Rica, towering to a height of 3,819 meters above sea level. Glaciers persisted on this mountain until about 10,000 years ago.

Only an hour away from San Jose, Volcan Poas is the most visited national park in Costa Rica. The huge, active crater is the main attraction, but cloud forest rings the beautiful lake in the extinct Botos crater, providing good opportunities to see cloud forest birds and plants.

Bosque nuboso en la cima de las montañas de Tilarán.

Cloud forest on the crest of the Tilaran mountains. ▷

La Reserva de Bosque Nuboso Monteverde, en la cordillera de Tilarán, ha sido objeto de muchos documentales y artículos, y podría ser el bosque nuboso mejor conocido del mundo. Esta reserva se estableció en 1972 como resultado de una campaña, propiciada por unos pocos visionarios, para proteger el bosque contra los madereros. Al final de los años ochenta, el esfuerzo de conservacionistas locales llevó a su expansión y, asimismo, a la creación del adyacente Bosque Eterno de los Niños. El área total bajo protección aumentó de 4.000 hectáreas en 1986 a 27.500 en 1997. Esta expansión fue financiada mediante contribuciones de, literalmente, miles de personas de todas partes del mundo, así como de grandes organismos conservacionistas. Mientras tanto, los visitantes de esta reserva aumentaron desde 470 en 1974 hasta 7.000 en 1985 y más de 50.000 en 1995. El incremento del turismo ha traído nuevas empresas al área y, además, ha estimulado a la comunidad local para establecer la Reserva de Santa Elena. Hoy sólo quedan unas pocas familias, en el área de Monteverde y Santa Elena, que no se benefician, directa o indirectamente, con el turismo.

Nosotros tenemos un interés especial en Monteverde y en la cordillera de Tilarán ya que vivimos allí durante varios meses cada año. Desde nuestra posición ventajosa con vista a la Reserva, hemos sido testigos de la vulnerabilidad de ciertos animales, aun de los que viven dentro de un área protegida.

Una de las especies que dan la alerta en la Reserva Monteverde, el sapito dorado, ha desaparecido con velocidad asombrosa. Estaba presente en números normales en 1987, pero sólo un adulto apareció en sitios de procreación en 1988 y en 1989. Hoy hace ya diez años desde la última ocasión en que los sapitos dorados se reprodujeron y parece, con mucha certeza, que se hallan extintos. Pero hay más de esta historia: muchos otros anfibios han desaparecido al mismo tiempo que el sapito dorado. Si bien algunos pocos han retornado, todavía están ausentes 20 especies de ranas, el 40% de la fauna del lugar. Varias ranas han desaparecido, igualmente, de otros sitios de tierras altas en Costa Rica (y en otras partes del mundo). El sapito de Holdridge, conocido sólo en el volcán Barva, no se ha vuelto a ver desde 1988 y puede haber corrido la misma suerte del sapito dorado. No se sabe por qué estos anfibios han desaparecido, pero una posibilidad radicaría en la introducción de algún patógeno. Hay evidencias de que un hongo exótico estuvo implicado en la extinción de ranas en Australia.

En igual forma, las poblaciones de lagartijas y serpientes han decrecido en el área. Hemos estado contando serpientes en el área de Monteverde y en el vecino valle de Peñas Blancas desde 1986, antes de la crisis del descenso. Hace diez años

The Monteverde Cloud Forest Preserve in the Tilaran mountains has been the subject of numerous documentaries and articles - it may be the best known cloud forest in the world. It came into being in 1972 as a result of a campaign by a few dedicated people to save the forest from loggers. In the late 1980's initiatives by local conservationists led to its expansion, as well as the creation of the adjoining Children's Eternal Forest. The total protected area increased from 4,000 hectares in 1986 to 27,500 hectares in 1997. The expansion was financed by contributions from literally thousands of people from all over the world, as well as major conservation bodies. Meanwhile, visitors to the Monteverde Preserve increased from 470 in 1974 to 7,000 in 1985 and over 50,000 in 1995. The increase in tourism brought much new business to the area and also led to the establishment by the local community of the nearby Santa Elena Reserve. Nowadays, there are few families in the Monteverde Santa Elena area who do not benefit, directly or indirectly, from tourism.

We have a special interest in Monteverde and the Cordillera de Tilaran because we live there for several months each year. From our vantage point overlooking the preserve we have been able to witness the vulnerability of some animals, even though they live in a protected area.

One of the flagship species of Monteverde, the Golden Toad, disappeared with startling rapidity. It was present in normal numbers in 1987 but only one adult was found at breeding pools in 1988 and 1989. It is now ten years since Golden Toads last bred and it seems virtually certain that they are extinct. But there is more to this story. Many other amphibians disappeared at the same time as the Golden Toad. A few have reappeared, but 20 species of frogs, 40% of the local fauna, are still missing. Frogs have also disappeared from other highland areas in Costa Rica (and elsewhere in the world). Holdridge's Toad, known only from Volcan Barba, has not been seen since 1988 and may have suffered the same fate as the Golden Toad. Why these amphibians have disappeared is not known, but an introduced pathogen is one possibility. There is evidence that an exotic fungus is implicated in frog extinctions in Australia.

Populations of lizards and snakes have also declined in the area. We have been counting snakes in Monteverde and the adjoining Peñas Blancas valley since 1986, before the onset of the decline. Ten years ago we encountered a snake about every six or seven hours as we walked the trails. This year over 80 hours of walking in the Peñas Blancas valley have

Helechos arborescentes y palmeras en la Reserva de Bosque Nuboso Monteverde.

Tree ferns and palms in Monteverde Cloud Forest Preserve. ▷

encontrábamos una serpiente cada seis o siete horas, mientras caminábamos por los senderos, pero este año (1997), en más de 80 horas de tránsito por Peñas Blancas, no hemos logrado ver ni una sola. Varias serpientes que fueron muy comunes no han sido vistas durante una década.

El calentamiento global también está causando cambios, ciertamente más graduales, pero no menos reales. Uno de los colonizadores originales de esta zona, John Campbell, ha mantenido una estación climatológica por dos décadas, y sus datos de precipitación muestran que el número de días secos en el presente es el doble que hace 20 años. En correlación con estos datos, hay indicios de que muchos animales (mamíferos, aves, lagartijas, insectos y otros) se están desplazando hacia las cimas de las montañas. Diez especies de aves anidan ahora cerca de nuestra casa, pero no lo hacían hace 18 años; asimismo, una docena de otras especies han estado llegando con regularidad y podrían establecerse en corto tiempo. Las especies a que nos referimos son ecológicamente diversas, pues incluyen habitantes de bosque denso, de orillas de bosque y de campo abierto. Unas pocas especies de altura que se observaban con regularidad, han buscado refugio en zonas más altas. Los quetzales aún anidan cerca de nuestra casa, pero ¿por cuánto tiempo? La cordillera de Tilarán está compuesta por montañas bajas y no hay mucho espacio para refugiarse.

A pesar de que las tendencias actuales en Monteverde nos pintan un panorama gris, también hay razones para estar optimistas. La Reserva contribuye grandemente a la economía local, lo que es un buen presagio sobre su futura sobrevivencia. Existe un apoyo entusiasta en los niveles local e internacional hacia una campaña para proveer de más ambientes protegidos y árboles nativos que produzcan frutos para quetzales, pájaros campana y otros migratorios altitudinales. También se hacen esfuerzos para extender la Reserva hacia las tierras bajas del Pacífico, mediante "corredores verdes" hasta la costa.

produced no snakes at all. Several snakes that used to be common have not been seen for a decade.

Global warming is causing more gradual but no less certain changes. One of Monteverde's original settlers, John Campbell, has been operating a weather station for 20 years. Rainfall data show that there are now twice as many dry days as there used to be, 20 years ago. Correlated with this change, there are signs that many animals, including mammals, birds, lizards and insects, are moving up the mountainside. Ten bird species now breed around our house that did not do so 18 years ago. Another dozen species occur regularly and may breed before too long. The birds involved are ecologically diverse, including forest, forest edge and open country species. A few high altitude species that used to be seen regularly have retreated up the mountainside. The Resplendent Quetzal still breeds around our house, but for how long? The Cordillera de Tilaran is a low range and there is not much room for species to retreat to higher altitudes.

Though current trends in Monteverde paint a gloomy picture for the future, there are also grounds for optimism. The Monteverde Cloud Forest Preserve contributes hugely to the local economy, which bodes well for its future survival. There is enthusiastic local and international support for a campaign to provide more habitat and indigenous fruit trees for quetzals, bellbirds and other altitudinal migrants. And efforts are being made to expand the preserve down the Pacific slope along "green corridors" to the sea.

Un rualdo en su nido, sobre un tronco cubierto de musgos, orquídeas diminutas y otras epífitas.

A Golden-browed Chlorophonia in its nest on a tree trunk ▷ surrounded by moss, miniature orchids and other epiphytes.

Los "hongos de sombrilla" o "setas" los cuerpos reproductores de organismos mucho más grandes, los hongos están diseñados para producir y dispersar esporas. El hongo explosivo, **a la derecha** expulsa nubes de esporas al aire cuando es golpeado por gotas de lluvia. El olor nauseabundo del hongo pulpo, en el **centro a la izquierda**, se origina en la masa de esporas, viscosa y achocolatada, y atrae moscas califóridas; las esporas se adhieren a las patas y al cuerpo de las moscas y así son transportadas a distantes sitios del bosque. Los hongos luminiscentes, **arriba a la izquierda**, a veces se encuentran en tal cantidad que el bosque parece un lugar encantado, lleno de lucecillas verdosas; la luz atrae abejones que terminan cubiertos con esporas. Las esporas de los hongos asesinos, **abajo a la izquierda**, invaden el cuerpo de algunos insectos, como el de este saltamontes; al desarrollarse, el hongo invade primeramente las partes no vitales del insecto y lo induce a subir y sujetarse de una hoja o ramita; de esta forma, los cuerpos fructíferos del hongo, quedan en posición ideal para dispersar sus esporas con el viento.

Las setas son las únicas partes del cuerpo de los hongos que la mayoría de las personas logran ver, pero los filamentos o hifas, que pasan inadvertidos, forman verdaderas redes bajo la capa superficial del suelo. Los hongos micorrízicos desempeñan una función importantísima en el movimiento cíclico de minerales; las micorrizas (literalmente "hongos de las raíces") rodean los pelos radicales e intercambian fósforo y otros minerales por carbohidratos; sin micorrizas la mayoría de los árboles del bosque no podrían sobrevivir.

"Mushrooms" and "toadstools" are the fruiting bodies of fungi, designed to produce and disperse spores. The Orange Puffball, **right**, puffs out clouds of spores when hit by falling drops of rain. The spores waft away on air currents. The foul smell of the Octopus Stinkhorn, **center left**, originates from the slimy, chocolate-colored spore-mass between the radiating arms. Blow flies, which mistake the odor for that of rotting meat, are attracted to the fungus and paddle around in the spore mass. As they eat, spores stick to their feet and body and are carried away to distant parts of the forest. Luminous fungi, **top left**, sometimes appear in such numbers that the forest looks like fairyland, dotted with greenish lights. The light attracts beetles, which become covered with spores as they crawl over the fungus. The spores of killer fungi, **bottom left**, invade living insects, including this grasshopper. As the fungus grows inside its host, it first consumes non-vital parts. Some killer fungi chemically manipulate the behavior of their victims before they kill them, inducing them to climb vegetation and cling to a leaf or twig. The fruiting bodies that grow from the dead insect are then ideally placed for their spores to be dispersed by the wind.

Mushrooms and toadstools are the only parts of fungi that most people see, but unnoticed fungal filaments form a mat in the upper layers of the soil. Fungi play an essential role in the rain forest as nature's recyclers. They decompose the dead tissues of plants and animals, converting organic compounds into carbon, nitrogen and minerals. Mycorrhyzal fungi also play a critical role in the return of minerals to plants. Mycorrhyzae (literally "fungus roots") surround root hairs and exchange phosphorus and other minerals for carbohydrates. Without mycorrhyzal fungi, many forest trees would not survive.

Costa Rica posee unas 1.200 especies de orquídeas, más que cualquier otro país centroamericano, y muchas más esperan que las descubran. Esta bella *Sobralia* o "flor de un día", **abajo a la izquierda**, aún no tiene nombre científico.

A diferencia de las orquídeas de zonas templadas, la gran mayoría de las tropicales son epífitas. Pueden encontrarse desde la costa hasta la cima de las montañas más altas, pero alcanzan su mayor abundancia en el bosque nuboso, donde la neblina acarreada por el viento y las lluvias frecuentes proporcionan un ambiente perfecto. Si bien es cierto que algunas orquídeas son grandes y espléndidas, la mayoría son miniaturas, con flores de pocos milímetros de diámetro. Esto no significa que estén desprovistas de gracia: observadas de cerca, especies como *Ponthieva maculata*, **arriba a la izquierda**, rivalizan con cualquiera de las grandes.

La mayoría de las orquídeas son polinizadas por abejas, avispas y moscas, aunque algunas pocas especies del bosque nuboso lo son por colibríes; tal es el caso de *Elleanthus robustus*, **a la derecha**, visitada por el colibrí orejivioláceo verde, el cual ha aprendido que las flores blancas son las que tienen el néctar (y son receptivas a los polinizadores).

Costa Rica has about 1,200 species of orchids, more than any other Central American country. Many more await discovery. This beautiful one-day *Sobralia* orchid, **bottom left**, is yet to be scientifically described.

Unlike temperate orchids, the vast majority of tropical species are epiphytes. They can be found from the shoreline to the tops of the highest mountains, but they grow in the greatest profusion in cloud forest, where wind-blown mist and frequent rain provide a perfect environment. Though many orchids are large and impressive, the majority are miniatures with flowers only a few millimeters across. This does not mean that they are dull. Seen in close-up, orchids like *Ponthieva maculata*, **top left**, are the equal of any of the larger species.

Most orchids are pollinated by bees, wasps and flies, but a few cloud forest species are pollinated by hummingbirds. Here a Green Violetear is visiting *Elleanthus robustus,* **right**. It has learnt that the white flowers are the ones that are producing nectar (and are receptive to pollinators).

Una estrellita gorgimorada en la bromelia *Tillandsia insignis*, **arriba**, un brillante frentiverde en la bromelia *Pitcairnia brittoniana* **arriba a la derecha**, y una hembra de colibrí montañés gorgimorado en la flor de la ericáceae *Cavendishia melastomoides*, **abajo a la derecha**. La gran habilidad de los colibríes durante el vuelo requiere un gran gasto energético debido a la alta velocidad a que mueven sus alas: desde 40 a 50 veces por segundo en la mayoría de las especies, hasta la increíble de 80 veces por segundo en las estrellitas.

Los colibríes tienen una dieta que incluye pequeños insectos, pero especialmente el néctar rico en calorías que liban de las flores, lo que les permite este energético estilo de vida. La relación entre flores y colibríes beneficia a ambos: los colibríes polinizan las flores a cambio de néctar rico en energía. Las flores asociadas con colibríes, constituidas de tal manera que previenen el robo de néctar por parte de insectos, carecen de la plataforma de aterrizaje que requieren abejas y mariposas y, en cambio, tienen una corola tubular que se ajusta a la forma del pico del colibrí. Típicamente estas flores son rojas o anaranjadas (colores llamativos para las aves, pero no para los insectos), no tienen aroma y

A Magenta-throated Woodstar at the bromeliad *Tillandsia insignis*, **above**; a Green-crowned Brilliant at the bromeliad *Pitcairnia brittoniana*, **top right**, and a female Purple-throated Mountaingem at the heath *Cavendishia melastomoides*, **bottom right**. The flying ability of hummingbirds is bought at a high cost in energy, for it depends on the fast rate at which they beat their wings, 40 to 50 times per second for an average hummingbird and an incredible 80 times per second for woodstars.

All hummingbirds eat small insects, but it is the calorie-rich nectar they sip from flowers that fuels their energetic lifestyle. The relationship between flowers and hummingbirds benefits both - hummingbirds pollinate flowers in return for energy-rich nectar. Hummingbird flowers, constructed to prevent insects stealing their nectar, lack the landing platform needed by bees and butterflies and have a tube-like corolla that matches a hummingbird's bill. Typically the flowers are red or orange, colors conspicuous to hummingbirds but not to insects. They are unscented and secrete copious nectar. Hummingbird flowers are plentiful in cloud forest, probably because hummingbirds

producen gran cantidad de néctar. Las flores para colibríes son abundantes en el bosque nuboso, probablemente debido a que los colibríes mantienen su propia temperatura corporal y pueden seguir polinizando aun en tiempo frío y húmedo, mientras que las abejas y otros insectos a menudo se inactivan en estas condiciones, con lo cual las flores que dependen de ellos no son polinizadas.

are warm-blooded and continue pollinating in cool, wet weather. Bees and other insects often become inactive, so flowers dependent on them do not get pollinated.

Los frutos "quieren" que se los coman y, por tal razón, tienen diseños atractivos para los animales que dispersan sus semillas. Las aves tienen buena visión pero olfato poco desarrollado, por tal razón, los frutos que las atraen carecen de olor y son de colores brillantes: rojo en la solanácea *Witheringia coccoloboides*, **arriba a la izquierda**, y el azul encendido de *Psychotria*, **abajo a la izquierda**. Muchos de estos frutos cambian de color, de verde a rojo, azul o negro, como indicación de su estado de madurez. Sus diminutas semillas son tragadas enteras y pasan sin deterioro a través del sistema digestivo del ave.

Con frecuencia, la relación entre aves y frutos es muy íntima y especializada. El quetzal, **a la derecha**, depende de los aguacatillos, que constituyen el 80% de su dieta. Estos frutos poseen una semilla grande, rodeada por una delgada capa de pulpa nutritiva, la cual contiene lípidos y proteínas, además de azúcar; de tal manera, cuando abundan los aguacatillos, los quetzales no tienen necesidad de alimento adicional. Las aves tragan estos frutos enteros y, posteriormente, regurgitan las semillas, a veces muy lejos del árbol que las produjo. Así se establece un intercambio de servicios entre aves y árboles: una comida nutritiva a cambio de dispersión de las semillas.

Fruits "want" to be eaten. They are designed to attract the animals which disperse their seeds. Fruits intended for birds, which have good color vision but a poor sense of smell, are odorless and brightly colored - red in the solanaceous *Witheringia coccoloboides*, **top left**, and lurid blue in this species of *Psychotria*, **bottom left**. Many change color, from green to red or blue, or red to black, to signal when they are ripe. Most bird fruits are small and sweet, which makes them attractive to a host of small birds, but they lack other nutrients, such as fat and proteins. Their tiny seeds are swallowed whole and pass unharmed through the bird's digestive system.

Sometimes the relationship between birds and fruits is particularly close. The Resplendent Quetzal, **right**, depends on wild avocados (small versions of the familiar cultivated fruit) for 80 percent of its diet. Wild avocados have a large seed surrounded by a thin layer of nutritious flesh, which contains fat and protein as well as sugar. When avocados are available, quetzals do not need to forage for anything else. The birds swallow the avocados whole and regurgitate the seeds later, sometimes far away from the parent tree. Bird and tree exchange services - a nutritious food supply is swapped for seed dispersal.

Durante la peor parte de la época lluviosa, de octubre a febrero, el bosque nuboso se torna húmedo, ventoso, nublado y frío, y la comida es difícil de obtener. Muchas de las aves de estos bosques, particularmente las comedoras de frutas, son migratorios altitudinales; aprovechan su capacidad de movilización para descender a sitios más hospitalarios.

Estos migratorios incluyen tres de los pájaros más famosos de Costa Rica: el quetzal, **a la izquierda**, el pájaro danto o sombrilla, **arriba a la derecha**, y el pájaro campana o rin-rán, **abajo a la derecha**. Todos ellos se reproducen en las tierras altas y descienden a menores altitudes durante varios meses al año, tras la pista de frutos maduros. El pájaro sombrilla baja al piedemonte caribeño, el quetzal migra (en el área de Monteverde) primeramente hacia las laderas de la vertiente pacífica y luego a elevaciones medias en el Caribe, mientras que el pájaro campana se dispersa ampliamente. Sin embargo, los sitios apropiados de tierras bajas son más y más escasos, y algunas de estas aves, en particular el pájaro campana, se encuentran en franca decadencia. Los migrantes altitudinales llaman la atención sobre la urgente necesidad de establecer parques nacionales que puedan mantener las especies a través de todo el año, y no sólo durante parte de su ciclo reproductivo.

During the worst of the wet season, from October to February, cloud forest is wet, windy, cloudy and cold, and food is hard to find. Many cloud forest birds, especially fruit-eaters, are altitudinal migrants, taking advantage of their mobility to move downslope to more hospitable climes.

These migrants include three of Costa Rica's most famous birds, the Resplendent Quetzal, **left**, Barenecked Umbrellabird, **top right**, and Three-wattled Bellbird, **bottom right**. All three breed in the highlands and descend to lower altitudes for several months each year, as they follow the trail of ripening fruit. The umbrellabird moves to the Caribbean foothills; in the Monteverde area, the quetzal migrates first down the Pacific slope, then to mid-elevations on the Caribbean slope; while the bellbird wanders widely. However, suitable lowland habitat gets scarcer every year and bellbirds especially are now in sharp decline. Altitudinal migrants highlight the urgent need for national parks that support animals throughout the year, not just for one part of their annual cycle.

La diferencia de funciones que desempeñan el macho y la hembra durante la reproducción, se encuentra bien ilustrada en dos aves: la gongolona o tinamú serrano, **arriba**, y el ala de sable violáceo, aquí en la flor de un jengibre silvestre, **a la derecha**.

Los tinamúes tienen una característica en común con algunas codornices, las jacanas y los falaropos: el macho es el único responsable del cuidado de los huevos y los polluelos. El tinamú macho copula con dos o tres hembras, por lo que, a menudo, tiene de seis a nueve huevos que incubar. Estos huevos son de color azul brillante, púrpura o café; los polluelos abandonan el nido recién salidos del huevo y pueden forrajear sin ayuda, aunque el padre los guía y los defiende.

Lo contrario ocurre entre los colibríes: el macho no participa en la construcción del nido, en la incubación de los huevos ni en la alimentación de los polluelos. Aunque sí hay que darles crédito por algo de ayuda indirecta: el ermitaño bronceado defiende su nido cuando interfieren otros machos, y el macho del colibrí garganta de fuego permite a la hembra visitar las flores que él defiende contra otros colibríes.

The male Highland Tinamou, **above**, and male Violet Sabrewing, **right**, here visiting a wild ginger, provide an interesting contrast in the roles played by males and females while breeding. Tinamous belong to a small group of unrelated birds, including button-quails, jacanas and phalaropes, in which the male alone takes charge of the eggs and young. Male tinamous often mate with two or three females, in which case they may have as many as six to nine eggs to incubate. The eggs are pure glossy blue, purple or brown. The downy chicks are ready to leave the nest soon after hatching. They are led and defended by the male, but they forage for themselves. Just the opposite situation is found in the breeding system of hummingbirds. Once having mated, the involvement of the male is over. He plays no part in building the nest, incubating the eggs or feeding the young. Though no direct help is given by male hummingbirds, a few provide indirect aid. Bronzy Hermits have been seen to defend nests against interference by other males, and male Fiery-throated Hummingbirds allow females to share the flowers they are defending against other hummingbirds.

La martilla, **a la izquierda**, y el tejón, **a la derecha**, son del tamaño de un gato doméstico y tan similares uno del otro que a menudo se los confunde. Son miembros de la familia Procyonidae, que además incluye al bien conocido mapache. Ambos, martilla y tejón, son arborícolas, nocturnos y muy ruidosos, y atraen la atención con sus llamados cortos y bisilábicos. Comen de todo, y aunque las frutas constituyen su dieta básica, son oportunistas y capturan toda una serie de pequeños animales, como ratones, polluelos en sus nidos, lagartijas, ranas e insectos. La martilla se distingue por ser un poco más grande y pesada y poseer una cola prensil. Se mueve rápida y confiadamente en las ramas más gruesas de los árboles, pero cuando forrajea en las ramitas delgadas, lo hace con cautela, mientras usa su cola como sostén. A veces emplea su cola para colgarse, en busca de frutas o para descender a alguna rama más baja. El tejón, más liviano y ágil, se mueve como una ardilla y usa su cola para balancearse cuando brinca entre las ramas.

The Kinkajou, **left**, and Olingo, **right**, are about the size of a domestic cat and so similar to each other that they are often confused. They are members of the Procyonidae, a family which includes the familiar Raccoon. Both are arboreal, nocturnal and quite noisy, drawing attention to themselves with characteristic double-syllabled, yapping calls. Both species are omnivorous. Fruit makes up most of their diet, but they are opportunists and prey on a wide range of small animals, including mice, nestling birds, lizards, frogs and insects. The Kinkajou is bigger and heavier than the Olingo and also differs by having a prehensile tail. It moves quickly and confidently on the bigger branches in the canopy but cautiously, using its tail as an anchor, when foraging on slender twigs. Sometimes it hangs by its tail to reach fruit or to descend to a lower branch. The lighter Olingo is more agile and squirrel-like in its movements, using its tail as a balancing aid as it leaps between branches.

El sapito dorado probablemente se halle ahora extinto. Se vio un solo macho en 1988 y de nuevo en 1989, pero no se ha vuelto a ver ninguno desde entonces. El sapito dorado fue siempre uno de los anfibios más raros del mundo, con su ámbito confinado a unos pocos kilómetros cuadrados en la Reserva de Bosque Nuboso Monteverde. La mayor parte del año la pasaban escondidos bajo el suelo o las capas de musgos y hojas caídas, para salir con los primeros aguaceros fuertes de la época lluviosa, para un corto período de apareamiento y postura de huevos. Los machos se alineaban a lo largo de estanques ya tradicionales **a la izquierda** y esperaban a que aparecieran sus hembras manchadas. Sin ninguna ceremonia de cortejo, los machos simplemente se acercaban a las hembras recién llegadas y trataban de copular con ellas. Un macho en amplexo con una hembra tenía que luchar para retenerla y, algunas hembras permanecían sepultadas por horas bajo un montón de machos, todos pateando y luchando entre ellos. Luego, cada hembra depositaba unos 200 huevos o más **arriba**, de los cuales, después de algunos días, nacían renacuajos que se convertían a su vez en sapitos diminutos luego de unas cinco semanas.

The Golden Toad is probably extinct, one of the victims in the worldwide decline of amphibians. A single male was seen in 1988 and again in 1989, but none have been found since. The Golden Toad was always one of the rarest amphibians in the world, its known range confined to a few square kilometers of the Monteverde Cloud Forest Preserve. For most of the year, Golden Toads led a secretive life, staying out of sight underground or beneath carpets of moss or leaves. With the first heavy rains of spring, usually around Easter, they emerged for a brief orgy of mating and spawning. The males assembled at traditional breeding pools, **left**, and waited for the spotted females to appear. There was no courtship. Males simply intercepted arriving females and tried to mate with them. The competition for females was intense. Any male in amplexus with a female had to fight to keep her. Some females were buried for hours at the center of a cluster of males, all kicking and struggling to dislodge each other. Eventually each female laid a double string of 200 or more eggs, **above**. The tadpoles hatched after a few days and took about five weeks to metamorphose into minute toads.

Se ha escrito mucho sobre la posible extinción del sapito dorado, pero es menos conocido el hecho de que, en 1987 o 1988, las poblaciones de todas las ranas en el área de Monteverde llegaron a desaparecer y que unas 20 especies (cerca del 40% de la fauna total) aún no se han restablecido. La rana lemur, **arriba a la izquierda**, la ranita de vidrio granulada, **arriba**, y la rana arlequín, **abajo a la izquierda**, son buenos ejemplos. Este colapso afectó tanto ranas diurnas como nocturnas, las que se reproducen fuera del agua y las que utilizan estanques y riachuelos, así como en ambas vertientes de la cordillera de Tilarán, donde la precipitación varía entre menos de dos y más de siete metros al año. Las razones que provocaron este colapso se desconocen, pero no parece lógico que factores ecológicos pudiesen afectar tan violentamente a un grupo tan diverso. Quizás una causa más probable sería la introducción de algún germen patógeno.

Otras áreas de altura similar a Monteverde han padecido la desaparición de sus anfibios. La rana arlequín ahora falta en las montañas de casi todo el país y el sapito de Holdridge, que se encontraba sólo en las faldas del volcán Barva, no se ha vuelto a ver.

The probable extinction of the Golden Toad has been widely reported. It is less well known that populations of all frogs crashed in the Monteverde area in 1987 or 1988 and that some 20 species (about 40% of the frog fauna) are still missing. The Lemur Frog, **top left**, Granular Glass Frog, **above**, and Harlequin Frog, **bottom left**, are among the species which have not been seen since 1988. The crash affected both diurnal and nocturnal frogs; frogs that breed on land as well as those that breed in ponds or streams; and frogs on both sides of the Cordillera de Tilaran, where annual rainfall varies from less than two meters to more than seven meters. The reasons for the crash are unknown, but it does not seem feasible that drought, increased ultra-violet radiation or pollution can have affected such a diverse group of frogs so suddenly. An exotic pathogen, is perhaps the most likely cause. Frogs are missing from many other areas as well, most of them, like Monteverde, at high altitudes. For example, the Harlequin Frog is missing from most of Costa Rica's mountains, not just Monteverde. Holdridge's Toad, found only on Barva Volcano, has not been seen since the late 1980s and may also be extinct.

En los bosques tropicales se encuentran muchos insectos que son grandes maestros del disfraz. Algunos parecen hojas, ramitas u otros objetos que no son del interés de los depredadores, en particular, de pájaros insectívoros. Aquí se presentan *dos* polillas o mariposas nocturnas geométridas, **arriba a la derecha**, disfrazadas de hojas secas; la esperanza *Markia hystrix*, **arriba a la izquierda**, que semeja el liquen *Usnea* del que se alimenta; otra polilla, **abajo a la derecha**, parecida a un palillo quebrado; y un juan palo, **abajo a la izquierda**, confundible con el musgo. Otros insectos semejan ramitas, flores y hasta cuitas de pájaros. Para sacarle verdadero provecho a estos disfraces, los actores tienen que adoptar un comportamiento adecuado: escogen un lugar acorde para posarse y, sobre todo, se mantienen absolutamente inmóviles durante el día, cuando las aves insectívoras buscan sus presas. Sólo se activan durante la noche, bajo el manto de la oscuridad.

Tropical forest is full of insects which are supreme masters of disguise. They resemble leaves, twigs and other objects that are of no interest to predators, especially insectivorous birds. The examples here include *two* geometrid moths, **top right**, which are disguised as dead leaves; the katydid *Markia hystrix*, **top left**, which resembles the *Usnea* lichen upon which it feeds; a moth, **bottom right** which looks like a broken twig; and a stick insect, **bottom left**, disguised as strands of moss. Other insects resemble twigs, flowers, seeds and even bird droppings. To benefit from their disguise, insects have to adopt appropriate behavior. They choose the right background to rest on and, above all, they keep absolutely still in the daytime, when insectivorous birds are searching for prey. They only become active at night, under the cover of darkness.

La abundancia de mariposas de la familia Ithomiinae enaltece el bosque nuboso. El espejito *Greta oto*, **arriba a la derecha**, realmente parece tener las alas de vidrio, mientras que *Dircenna chiriquensis*, **arriba a la izquierda**, tiene alas que semejan ámbar translúcido. Las itomíinas tienen mal sabor y son rechazadas por la mayoría de los depredadores, por lo que otras mariposas las imitan en su coloración. Los machos forman grupos (leks), durante la época de reproducción, donde compiten por hembras para copular. Las sustancias químicas que liberan los machos (feromonas) en el lugar del lek, están constituidas a base de alcaloides, que obtienen de las flores que le sirve de alimento. El espejito *Oleria vicina*, **abajo a la izquierda**, visita la compuesta *Neomirandea angularis*, una buena fuente de alcaloides. Las pupas o crisálidas de los itomíinos son plateadas o doradas, como en esta especie no identificada, **abajo a la derecha**. Su pulida superficie refleja el follaje circundante y puede ayudar a hacerla críptica a la distancia, pero, una vez descubierta, su característica distintiva advierte a los depredadores sobre su mal sabor.

An abundance of butterflies in the subfamily Ithomiinae grace the cloud forest, where 30 or more species can be found together. The transparent *Greta oto,* **top right**, is one of the aptly named glasswing butterflies, while *Dircenna chiriquensis,* **top left**, here feeding at Hot Lips, has wings of translucent amber. All ithomiines taste bad to most predators and butterflies in many other families mimic them (see pages 94 and 95). Ithomiines are unusual among butterflies in forming mating aggregations (leks), where males compete to mate with females. Scent signals (pheromones) released by the males attract butterflies of both sexes to the lek. The pheromones are derived from alkaloids that the males collect from flowers. The glasswing *Oleria vicina,* **bottom left**, is visiting *Neomirandea angularis* (Asteraceae), a popular source of these alkaloids. The beautiful pupae of ithomiines are bright silver, or gold as in this unidentified species, **bottom right**. The mirror-like surfaces reflect foliage and may make the pupa inconspicuous at a distance, yet distinctive enough once discovered to warn that it tastes bad.

Bosque Lluvioso del Caribe

Los bosques lluviosos del Caribe poseen todas las especificaciones que caracterizan la imagen popular del "bosque tropical". Los árboles son inmensos, siempre verdes y adornados con lianas y epífitas de crecimiento exuberante. Hay higuerones estranguladores gigantescos y una rica variedad de palmeras, tanto grandes como pequeñas. Muchos de los grandes árboles tienen gambas; aunque su función es tema de debate entre los botánicos, estas raíces recuerdan los contrafuertes que sostienen el enorme peso de las catedrales y otros edificios.

Los bosques lluviosos fueron una vez continuos a lo largo de todo el Caribe centroamericano; esto explica la amplia distribución de los animales que allí habitan. La gongolona o tinamú grande, el pavón, el jacamar colirrufo o gorrión de montaña, el curré o tucán pico iris y la oropéndola cabecicastaña son unos pocos ejemplos de las muchas aves que se encuentran desde el occidente ecuatoriano o Colombia hasta el sur de México. Algunos mamíferos presentan una distribución similar, como el oso colmenero, el mono araña o colorado, el pizote o coatí, la danta y varios murciélagos y roedores.

Los bosques lluviosos caribeños se ubican en la región más lluviosa de Costa Rica, con una precipitación promedio anual de entre tres y cinco metros en la llanura. Las laderas de las montañas y las elevaciones medias son aún más húmedas, según lo muestran nuestros registros, realizados mediante el uso de un pluviómetro a largo plazo, en el valle del Peñas Blancas, vertiente caribeña de la cordillera de Tilarán. Se han registrado casi 14 metros de lluvia en dos años (un promedio de siete metros anuales). Hay algunos lugares en el lado caribeño de la cordillera volcánica Central con promedios mayores a 300 días con lluvia por año. Aun así, la gente de mayor edad insiste en que es más seco ahora que antes, pues dicen que, en aquellos días, el único "verano" que tenían era el día en que no llovía.

La precipitación en la vertiente del Caribe se distribuye más uniformemente que en otras partes de Costa Rica. Aunque febrero y marzo son relativamente secos y soleados, cada mes recibe una cantidad significativa de lluvia. No obstante, el mito de un trópico sin cambios estacionales no se aplica a estos bosques ni a ningún otro. Aquí los patrones estacionales, tanto en plantas como en animales, son muy marcados y similares a los que se notan en otras partes de Costa Rica. Los pocos árboles caducifolios botan sus hojas en los meses

Caribbean Rain Forest

THE Caribbean rain forest has all the distinctive features which give tropical forest its popular image. The trees are huge, evergreen and festooned with an exuberant growth of lianas and epiphytes. There are giant strangler figs and a rich assembly of palms, both large and small. Many of the biggest trees have buttress roots. Looking at the buttresses, it seems obvious that they must be analogous with the flying buttresses that support the enormous weight of cathedrals and other big buildings, but their function is still disputed by botanists.

Rain forest used to be continuous on the Caribbean side of Central America. As a result, most of the animals inhabiting Caribbean rain forest in Costa Rica are widely distributed. The Great Tinamou, Great Curassow, Rufous-tailed Jacamar, Keel-billed Toucan and Chestnut-headed Oropendola are just a few of the many birds that occur all the way from western Ecuador or Colombia to southern Mexico. Mammals with a similar distribution include the Northern Tamandua, Central American Spider Monkey, White-nosed Coati, Baird's Tapir and several bats and rodents.

The Caribbean rain forest is the wettest part of Costa Rica, with a mean annual rainfall in the lowlands of about three to five meters. The foothills and mid-elevations are even wetter. Using a long-term rain gauge, we measured rainfall in the Peñas Blancas valley on the Caribbean side of the Tilaran mountains. We recorded just short of 14 meters of rain in two years, an average of seven meters annually. There are other places, on the Caribbean side of the Central Volcanoes, that average over 300 rainy days per year. Even so, old-timers are unanimous that it is drier now. They say the only dry season in the old days was "any day it didn't rain".

Rainfall on the Caribbean slope is more uniformly distributed than in other parts of Costa Rica. February and March are relatively dry and sunny but a significant amount of rain falls every month. Nonetheless, there are distinct seasons - the absence of seasonality in the tropics is a myth. Patterns of seasonality in both plants and animals are similar to those in other parts of Costa Rica. The few deciduous trees shed their leaves in February and March, the driest months. Frogs that need water to breed, do so at the

◁Un riachuelo en el Bosque de la Estación Biológica La Selva.

A stream flowing through lowland rain forest at La Selva Biological Station.

más secos: febrero y marzo. Las ranas que necesitan agua para reproducirse, lo hacen al inicio de la época más húmeda, tan pronto como los aguaceros llenan los charcos estacionales. Los pájaros insectívoros se reproducen al inicio de la época lluviosa, cuando los insectos son más abundantes, y los colibríes lo hacen cuando hay mayor producción de sus flores favoritas.

En Costa Rica, la mayor diversidad de animales se encuentra en estos bosques de las tierras bajas caribeñas, aunque más al pie de las colinas que en las llanuras. Por ejemplo, cerca de 270 especies de aves residen en los bosques cercanos a la Estación Biológica La Selva (que se encuentra en la base de la cordillera volcánica Central), pero sólo 220 radican en el Parque Nacional Tortuguero (sobre la costa). Esta diferencia y casos similares en mamíferos, reptiles, anfibios e invertebrados, se deben, entre otros factores, a la mayor variedad de hábitat en los bosques del piedemonte.

Por otro lado, la diversidad disminuye al aumentar la altitud, lo que es particularmente notable en las zonas más húmedas entre 500 y 1.000 metros sobre el nivel del mar. Si bien es cierto que la diversidad total decae, asimismo se incrementa el número de especies propias o que escasamente se encuentran en otros sitios. El pájaro bobo o momoto cejiceleste, el monjito rayado y el picoagudo son excelentes ejemplos de esta situación. Entre los anfibios restringidos a estas elevaciones medias, están las "ranas voladoras" de gran talla *Hyla fimbrimembra* y *H. miliaria*, que viven en el dosel y se reproducen en huecos en los troncos de los árboles, así como la espectacular rana coronada, que deposita sus huevos en bromelias. De igual manera, se encuentran aquí tantas mariposas propias que se le considera una zona de endemismo, la llamada "franja Carrillo" en el libro *Butterflies of Costa Rica*.

Pese a lo anterior, las bandas altitudinales ocupadas por las diferentes especies no son discretas, sino que la fauna cambia gradualmente según se suba o se descienda en las faldas de las montañas de la vertiente del Caribe. No se notan, por tanto, líneas definidas donde varias especies alcancen su límite altitudinal en forma simultánea, o sea, no existen zonas de vida discretas .

Los pájaros son difíciles de hallar en el bosque lluvioso, excepto cuando se encuentra una bandada de especies mezcladas. Entonces sí que hay excitación, con pájaros que vuelan por todo lado, y muy poco tiempo para verlos todos. Se piensa que la principal ventaja de estas bandadas mixtas es la defensa contra depredadores: con tantos pares de ojos vigilantes es difícil para un enemigo atacar sin ser detectado. En cualquier lugar donde ocurran, las bandadas mixtas parecen ser lideradas por unas pocas de las especies participantes, conocidas como "nucleares", las cuales emiten llamados de advertencia a las especies "asistentes". Los observadores de aves experimentados utilizan estos llamados para localizar bandadas mixtas.

beginning of the wet season, as soon as heavy rain fills seasonal ponds. Insectivorous birds breed at the beginning of the rainy season, when insects are most abundant. And hummingbirds breed when their favorite flowers are in bloom.

The greatest diversity of animals in Costa Rica is found in the Caribbean lowlands, though the peak is in the foothills rather than the flat lowlands. For example, about 270 bird species are resident in the forest around La Selva Biological Station, which lies at the base of the Cordillera Central, but only 220 in Tortuguero National Park. Similar differences in diversity are found in mammals, reptiles, amphibians and invertebrates. The differences can be explained in part by the greater variety of habitats in foothill forest, but other factors probably contribute.

Diversity is lower at mid-elevations but there are more species that are rare or local, particularly in the wettest zone between 500 and 1,000 meters above sea level. The Keel-billed Motmot, Lanceolated Monklet and Sharpbill are prime examples. Amphibians restricted to the zone include two large "flying" frogs (*Hyla fimbrimembra* and *H. miliaria*), which live in the canopy and breed in tree holes, and the spectacular Crowned Frog, which lays its eggs in bromeliads. The zone has so many distinctive butterflies that it is described as a zone of endemism, called the "Carrillo Belt", in *The Butterflies of Costa Rica*.

However, the altitudinal bands occupied by different species do not coincide. The fauna changes gradually as one moves up or down the Caribbean slope, without sharp divisions where many species reach their altitudinal limit simultaneously. There are no discrete life zones.

Birds are hard to find in the rain forest except when contact is made with a mixed species flock. Then there is almost too much excitement, with birds flitting about on all sides and too little time to see them all. Safety from predators is thought to be the main advantage of being in a mixed species flock. With so many pairs of watchful eyes, it is difficult for a predator to attack without being detected. Throughout the world, mixed flocks contain a few species which seem to be the leaders. Known as "nuclear" species, they have characteristic calls which advertise the flock to other "attendant" species. Experienced birders make use of these calls to find mixed flocks.

Equally impressive are the flocks of birds that follow raiding swarms of army ants as they scour the forest for prey. The insects, spiders and other small creatures, scurrying to escape the ants, make easy pickings for the birds. The most common attendants at ant swarms in Caribbean rain forest are the Plain-brown Woodcreeper and several species of antbirds, but a host of others

Bosque caribeño con lianas y palmeras en la Estación Biológica La Selva.

Caribbean rain forest with lianas and palms at La Selva Biological Station. ▷

Igualmente impresionantes son las bandadas de aves que siguen las invasiones de las hormigas arreadoras cuando recorren el bosque en busca de presas. Los insectos, arañas y otras pequeñas criaturas procuran escaparse del ejército de hormigas, y así son capturados fácilmente por las aves. Las aves que más comúnmente asisten a estas invasiones en los bosques caribeños son el trepador pardo y varias de pájaros hormigueros, pero a veces una serie de otras especies se unen a ellas. El hormiguero bicolor y el hormiguero ocelado, rara vez se ven lejos de las arreadoras.

Hay una gran variedad de ranas en estos bosques del Caribe. Destacan algunas espectaculares, como la rana de ojos rojos y la rana voladora de Spurrel. La más conspicua de todas es la ranita venenosa roja, que salta por doquier durante el día, bien protegida por su brillante color, el cual advierte sobre las secreciones venenosas de su piel. Esta ranita deposita sus huevos entre la hojarasca en el piso del bosque, donde ambos padres los resguardan y los mantienen húmedos. Al nacer los renacuajos, la hembra los transporta hasta el agua y los aprovisiona con huevos infértiles como alimento.

Así, esta especie constituye un ejemplo extremo de la sorprendente variedad de estrategias reproductivas que se observan en las ranas tropicales. Algunas se reproducen según la manera convencional de las ranas norteamericanas y europeas, pues abandonan cientos o miles de huevecillos en estanques y riachuelos, pero muchas se "apartan de la tradición" en varias formas: existen tendencias a depositar los huevos fuera del agua, a depositar pocos huevos con mayor contenido de nutrientes, al cuidado paternal de los huevos y los renacuajos, y al desarrollo directo de los embriones dentro del huevo, los cuales dependen únicamente del vitelo allí contenido sin transformarse en renacuajos. Las estrategias reproductivas de las ranas de lluvia muestran todas estas tendencias mencionadas.

Existen varios lugares donde se puede admirar el bosque lluvioso del Caribe, pero sobresale la Estación Biológica La Selva, pues es fácilmente accesible y tiene tanta riqueza como cualquier otro sitio en la zona. Ciertamente no puede competir con un parque como Manú, en la cuenca amazónica, en cuanto a diversidad de especies y en la facilidad para observar monos y guacamayas, pero las ranas llamativas y los insectos bizarros se pueden encontrar con más frecuencia en La Selva. En nuestra labor como fotógrafos de vida silvestre, encontramos La Selva tan satisfactorio como cualquier lugar en América del Sur.

Otros sitios boscosos de importancia en el Caribe incluyen los parques nacionales de Cahuita y Tortuguero, ambos en la zona costera. Si bien los arrecifes coralinos constituyeron la principal causa de la fama del lugar, estos han sido dañados seriamente por sedimentos y pesticidas lanzados al mar a través del río La Estrella. Tortuguero es único por su red de canales y lagunas. Los viajes en bote ofrecen excelentes

join in at times. Two species, the Bicolored Antbird and Ocellated Antbird, are seldom seen away from ant swarms.

There is a rich frog fauna in lowland Caribbean rain forest, including such spectacular species as the Red-eyed Frog and Spurrell's Flying Frog. The most conspicuous species is the Strawberry Poisondart Frog, which hops about in the daytime, protected by its bright warning colors and poisonous skin secretions. It lays its eggs in leaf litter, where they are guarded and kept moist by both sexes. When the tadpoles hatch, the female carries them to water and provides them with infertile eggs to eat.

The Strawberry Poisondart Frog has one of the most interesting of the amazing variety of breeding strategies found among tropical frogs. Some species breed in the conventional way of common North American and European frogs, abandoning hundreds or thousands of tiny eggs in ponds and streams, but others are less conventional in several related ways. There is a tendency for eggs to be laid out of water; for eggs to be fewer but larger, with a bigger supply of yolk; for adult frogs to protect the eggs and tadpoles; and for embryos to develop in the egg, relying on the yolk for their nutrition, rather than as free-living tadpoles. These trends culminate in the breeding strategies of rain frogs, which show all these features.

There are several good places to see Caribbean rain forest, but La Selva Biological Station is exceptional. It is easily accessible and is as rich in species as any site in Costa Rica. It cannot match a park like Manu, in the Amazon basin, for sheer species diversity or sightings of monkeys and macaws, but snakes, gaudy frogs and bizarre insects are encountered more frequently in La Selva. As wildlife photographers we have found La Selva as rewarding as any site in South America.

Other good rain forest sites on the Caribbean side of Costa Rica include Cahuita and Tortuguero National Parks, both of which lie on the coast. The offshore coral reef was Cahuita's main claim to fame, but it has been severely damaged by sediment and pesticides dumped into the sea by the Rio Estrella. Tortuguero, with its network of waterways and lagoons, is unique. Boat trips offer opportunities for good views of monkeys, sloths, water-birds, caimans and perhaps even a manatee. But Tortuguero is best known as an internationally important breeding site for the endangered Atlantic Green Turtle.

The rugged terrain on the Caribbean slope has been difficult to explore until fairly recently, but access is now easy on the new road through Braulio Carrillo National Park and there are comfortable places to stay. For those fit enough for a rugged hike, access is also possible from Monteverde, up and over the continental divide into

Catarata de Poco Sol en el Bosque Eterno de los Niños.

Poco Sol waterfall in the Children's Eternal Forest. ▷

oportunidades para observar monos, perezosos, aves acuáticas, caimanes y, con suerte, hasta manatíes. Pero Tortuguero es mejor conocido como un sitio de importancia internacional para la reproducción de la tortuga verde, ahora en peligro de extinción.

Aunque lo escabroso del terreno en la vertiente del Caribe ha hecho difícil la exploración, ahora el acceso es fácil a través de la nueva carretera que cruza el Parque Braulio Carrillo; además, hay muchos lugares cómodos donde alojarse. Y para aquellos dispuestos a un viaje pesado, también se puede pasar a la vertiente caribeña desde Monteverde, cruzando la división continental hacia el valle de San Gerardo (con espectaculares vistas de volcán Arenal) o el valle de Peñas Blancas, igualmente bello.

El principal problema de los ambientes caribeños es la fragmentación del bosque. Los remanentes boscosos son relativamente pequeños y existe el peligro de que algunos de los mamíferos y aves mayores se extingan localmente, al resultar los fragmentos de bosque demasiado pequeños para mantener poblaciones viables. El cariblanco y la danta son los primeros mamíferos mayores en desaparecer de los bosques perturbados, así es que su presencia (o ausencia) es un buen indicador de la condición del bosque. Aún se encuentran en los parques Braulio Carrillo y Tortuguero, pero han desaparecido desde hace tiempo de Cahuita y La Selva. La angosta zona protectora que ahora une La Selva con Braulio Carrillo es el resultado del temor de que aquella llegase a ser una pequeña isla, inadecuada para soportar estudios científicos serios. Este corredor podría permitir al cariblanco y a la danta retornar a La Selva en un futuro cercano.

either the San Gerardo valley, with superb views of Arenal volcano, or the equally beautiful Peñas Blancas valley.

The main conservation problem in the Caribbean lowlands is the fragmentation of forest. Relatively little forest remains and there is a danger that some of the larger mammals and birds will become locally extinct in forest fragments that are too small to sustain viable populations. The White-lipped Peccary and Baird's Tapir are usually the first large mammals to disappear from disturbed forest, so their presence or absence is a good indicator of a forest's well-being. They are still present in Braulio Carrillo and Tortuguero National Parks but long gone from Cahuita and La Selva. The forested corridor that now connects La Selva with Braulio Carrillo National Park resulted from the fear that La Selva would become a tiny island, inadequate for serious scientific studies. The corridor may allow White-lipped Peccaries and tapirs to recolonize La Selva before too long.

Estrato herbáceo en un bosque lluvioso caribeño en la cordillera de Tilarán, con diversas formas de hojas y una *Aphelandra* en flor.

The herb layer of mid-elevation rain forest on the Caribbean slope of the Cordillera de Tilaran, showing diverse leaf shapes and a flowering *Aphelandra*. ▷

Los colibríes son abundantes en los bosques lluviosos del Caribe, donde pueden hallarse entre 15 y 20 especies simultáneamente. Todos se alimentan de néctar, pero tienen picos de diferentes formas y tamaños que se acoplan a distintas clases de flores. El ermitaño verde, por ejemplo, utiliza su pico, muy largo y curvo, para extraer néctar de flores de largas corolas, como las de poró, **a la derecha**. Otras especies poseen picos aún más especializados, como el pico de hoz, con el más curvo de todos, lo que le permite aprovechar flores igualmente curvas, como las heliconias (por ejemplo, *Heliconia reticulata*, **arriba a la izquierda**), y algunas lobeliáceas del género *Centropogon*. El copete de nieve, **abajo a la izquierda**, aquí en flores de pastora de montaña (*Warscewisczia coccinea*), es uno de los colibríes de pequeña talla y pico corto, que visita flores polinizadas, básicamente, por insectos. Quizá su tamaño diminuto (pesan menos de tres gramos) les permite ser considerados como "insectos honorarios".

The rain forest on the Caribbean slope is rich in hummingbirds, with as many as 15 to 20 species occurring together. All feed on nectar but they have bills of different shapes and sizes which fit different flowers. The Green Hermit, for example, uses its very long, curved bill to extract nectar from flowers that have a long corolla, such as the Poro, **right**. Other hummingbirds have even more specialized bills. The White-tipped Sicklebill has the most strongly curved bill of any hummingbird. It is designed to match the equally curved flowers of various heliconias, including *Heliconia reticulata*, **top left**, and lobelias (*Centropogon* spp.). The Snowcap, **bottom left**, here visiting *Warscewiczia coccinea*, has a small, short bill. It is one of a number of tiny hummingbirds that feed at flowers that are mostly pollinated by insects. Weighing less than three grams, these hummingbirds are so small that they can be regarded as "honorary insects".

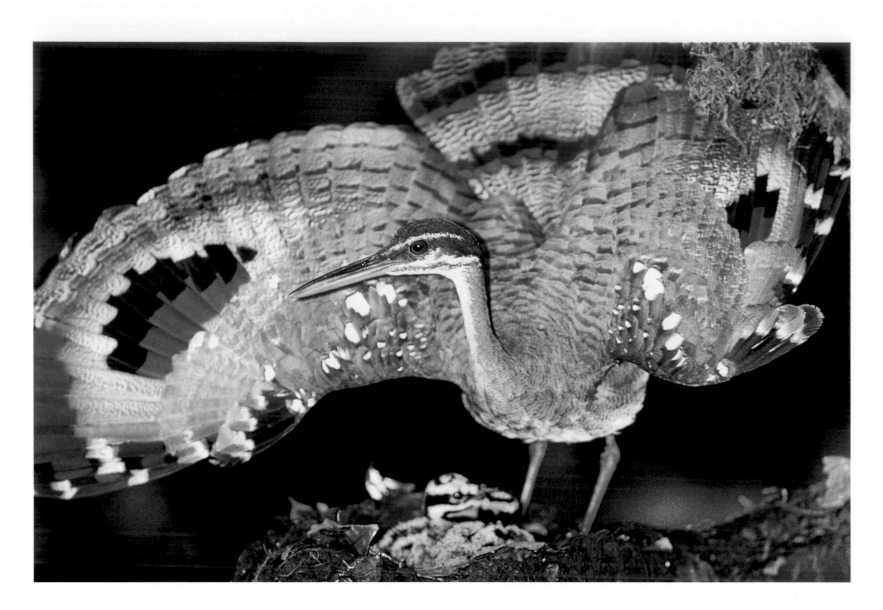

El ave sol o sol-y-luna es tan diferente de las demás que se clasifica en una familia propia (Eurypygidae), ligeramente emparentada con las grullas y las avutardas. En Costa Rica se halla con frecuencia en zonas boscosas a lo largo de ríos torrentosos. Tanto el macho como la hembra tienen las alas adornadas con un colorido diseño negro, castaño y dorado en forma de un destello de sol. Las alas desplegadas parecen dos enormes ojos con la intención de amenazar a los depredadores, **arriba.** Los polluelos están cubiertos de plumas suaves y semejan las crías precoces de chorlitos y correlimos, pero, a diferencia de ellos, permanecen en el nido por varias semanas y dependen de sus padres para la alimentación. Se los alimenta con la misma dieta de los adultos: lagartijas, ranas, renacuajos, cangrejos de agua dulce (con tenazas y patas amputadas previamente) y, particularmente, larvas grandes de megalópteros (grupo de insectos acuáticos). En un nido observado durante varias semanas, algunos de los animales traídos como alimento eran enormes en relación con el tamaño de los polluelos, a pesar de lo cual estos los tragaban con facilidad, excepto una chirvala (*Ameiva festiva*), **arriba a la derecha**, tan grande que el polluelo no pudo engullirla

The Sunbittern is so distinctive that it is placed in a family of its own (the Eurypygidae). Its closest relatives are cranes and bustards. In Costa Rica it is most numerous along fast-flowing rivers in heavily forested foothills. Both male and female have exquisitely colored wings bearing a sunburst pattern of black, chestnut and gold. Fully displayed the wings resemble two enormous eyes that are flashed as a threat display at predators, **above**. Sunbittern chicks are covered in down and look like the precocial chicks of plovers or sandpipers. Unlike precocial chicks, however, they remain in the nest for several weeks and are dependent on their parents for food. The food items brought to the chicks are the same as those eaten by the adults themselves - lizards, frogs, tadpoles, freshwater crabs (with their claws and legs removed) and especially the large, aquatic larvae of dobsonflies (Megaloptera). At a nest that we watched for several weeks, some of the food items brought in were enormous in relation to the size of the chicks. Most prey were swallowed with ease, though one lizard (*Ameiva festiva*) was so huge, **top right**, that the chick was unable to get it all down at once. It sat for four hours with

de una vez y permaneció cuatro horas con la cola aún colgando del pico, **abajo a la derecha**.

the tail hanging out of its bill, while the front end of the lizard was digested, **bottom right**.

Los murciélagos son responsables del aumento en diversidad de mamíferos que se nota al comparar las zonas templadas con las tropicales. Mientras la mayoría de los murciélagos de zonas templadas son insectívoros, los tropicales explotan fuentes de comida mucho más diversas, tales como frutas, néctar, peces, ranas, aves y sangre.

El murciélago nariz de espada, **abajo a la izquierda**, rebusca lentamente y con gran habilidad a través del denso follaje, para capturar esperanzas y otros insectos grandes, posados en las hojas. Sus orejas grotescamente desarrolladas y su nariz foliácea proveen de la sensibilidad que le permite distinguir entre insectos y hojas. El murciélago tendero, **abajo a la derecha**, es frugívoro; con frecuencia transporta frutos por varios centenares de metros antes de comérselos; defeca las semillas enteras y lejos del árbol productor. El murciélago nariz larga de Underwood, **arriba a la izquierda**, se alimenta de néctar y polen, mediante el uso de su largo hocico y lengua para llegar al fondo de las flores (en este caso, *Mucuna urens*). Las flores que atraen murciélagos tienden a ser de colores pálidos y olor fuerte.

El vampiro, **arriba a la derecha**, se alimenta exclusivamente de sangre, en especial de venados, pecaríes y otros mamíferos silvestres de gran talla. Con sus afilados incisivos hacen una pequeña herida, de la cual lame la sangre, cuya fluidez mantiene mediante un anticoagulante en su saliva. Otras dos especies de vampiros se alimentan de sangre de aves, a las que muerden en los dedos mientras duermen.

78

Bats account for almost all the increase in mammal diversity as one goes from the temperate zones to the tropics. Whereas most temperate bats are insectivorous, tropical species exploit a wider range of foods, including fruit, nectar, fish, frogs, birds and blood. The Sword-nosed Bat, **bottom left**, is a leaf-gleaner. Maneuvering through dense foliage with great agility, it plucks katydids and other large insects from leaves. Like other insectivorous bats, it uses echolocation to detect prey. Presumably its grotesquely developed ears and nose-leaf provide the sensitivity that enables it to distinguish immobile insect prey from foliage. The Tent-making Bat, **bottom right**, is frugivorous and often carries fruits for several hundred meters before eating them. Seeds are defecated intact, often far away from the parent tree. Underwood's Long-nosed Bat, **top left**, feeds on nectar and pollen, using its elongated snout and tongue to probe deep into flowers (in this case *Mucuna urens*). Bat flowers tend to be pale and musky-smelling. The notorious Common Vampire, **top right**, feeds exclusively on blood from deer, peccaries and other large mammals. The Vampire slices the skin of its victim with its razor-sharp incisors, then laps oozing blood from the shallow wound. The flow of blood is maintained by an anticoagulant in the bat's saliva. Two other species of vampires feed on the blood of roosting birds, biting their toes while they sleep.

Las heliconias constituyen un foco de actividad en las selvas lluviosas, pues proveen de alimento y refugio a muchos animales. Los anolis verdes *Norops biporcatus*, **a la derecha**, y otros depredadores pequeños buscan presas sobre sus largas y anchas hojas; los colibríes y algunos insectos son atraídos por sus grandes brácteas rojas y por el néctar de sus flores amarillentas; y varios pájaros se alimentan de sus frutos azules. Las brácteas, en algunas especies, están llenas de agua y mantienen prósperas comunidades de larvas de zancudos y otros insectos acuáticos.

Las heliconias son plantas de sol y crecen en los claros del bosque en donde se filtra la luz solar. Sus grandes hojas proveen de refugio a muchos animales: aun cuando están apenas empezando a desenrollarse, sirven de escondite al murciélago de ventosas, a esperanzas, arañas e, inclusive, a la rana mascarada, **arriba a la izquierda**. Dentro de ese cono protector, los animales encuentran abrigo contra el sol, el viento y la lluvia, y se mantienen fuera de la vista de los depredadores. Sin embargo, el túnel puede convertirse en una trampa: hemos visto a un pizote y a monos ardilla que buscaban sistemáticamente dentro de las hojas arrolladas, pues han aprendido que allí pueden encontrar una cena fácil. Estas hojas arrolladas proporcionan sólo un albergue temporal, pues se desenrollan completamente en unos pocos días y sus ocupantes se ven forzados a buscar una nueva habitación. Los murciélagos tenderos, entre los que se incluye al pequeño murciélago blanco, **arriba a la derecha**, mordisquean las venas de las hojas maduras a ambos lados de la vena central, de manera que la hoja se dobla y forma una tienda. Bajo esta tienda los murciélagos encuentran abrigo contra el sol y la lluvia, así como protección contra depredadores. Un macho y su harén pueden utilizar la misma tienda durante muchas semanas, hasta que la hoja se desintegre.

Heliconias are sun-loving plants and grow wherever sunlight spills down through gaps in the forest canopy. They are a focus of activity in the rain forest. Anoles, including *Norops biporcatus*, **right**, hunt for prey on their long broad leaves; hummingbirds and insects are attracted by their bizarre red bracts and the nectar in their creamy-yellow flowers; and birds feed on their blue fruits. The bracts of some species are filled with water and sustain thriving communities of mosquito larvae and other aquatic insects. When just starting to unfurl, the huge leaves are favorite hide-aways for Sucker-footed Bats, katydids, spiders or a Masked Puddle Frog, **above left**. Deep in the protective funnel, animals are sheltered from sun, wind and rain and are out of sight of predators. The rolled leaves provide only a temporary abode. When fully open their occupants are forced to find new accommodation. Tent bats, including the tiny Honduran White Bat, **above right**, roost under mature leaves. They "improve" the leaves by chewing the leaf veins on either side of the mid-rib, so that the leaf blades collapse and form a tent. A group of bats, consisting of a male and his harem of females, uses the same tent for many weeks.

La bocaracá o serpiente de pestañas tiene una coloración verde musgo con manchas de color café rojizo, **arriba**. Es un depredador que sigue la táctica de la emboscada, pues en lugar de buscar activamente sus presas, escoge un sitio adecuado, donde espera a que lleguen ranas, lagartijas, aves y murciélagos. Su impresionante camuflaje la hace invisible, no sólo a posibles presas, sino también a depredadores, como gavilanes.

Una variación espectacular de esta especie es la oropel, de color dorado, que se halla sólo en las selvas lluviosas de la vertiente del Caribe. La oropel se halla a menudo entre las heliconias, arrollada sobre una de las rojas inflorescencias; allí se mantiene al acecho de posibles presas, como el anolis *Norops limifrons*, **arriba a la derecha**. También intenta cazar colibríes, visitantes frecuentes de las flores de heliconia; es probable que el tono tan llamativo de la oropel despierte la curiosidad del ave, siempre dispuesta a investigar objetos de colores brillantes. Sin embargo, a pesar de esta ventaja, la serpiente está lejos de tener el éxito asegurado, pues los colibríes, como este amazilia de cola roja, **abajo a la derecha**, tienen movimientos reflejos rapidísimos.

The Eyelash Viper is variable in color but the most typical form is moss green, spotted with reddish brown, **above**. It is a "sit and wait" predator. Instead of actively searching for prey, it chooses a good spot from which to ambush frogs, lizards, birds and bats. Its beautiful camouflage makes it invisible, both to prey and to predators, such as hawks.

A spectacular golden form of the Eyelash Viper (known as "Oropel", meaning "golden skin") occurs only in Caribbean rain forest. The Oropel is often found in heliconia thickets, coiled on a bright red inflorescence. Although it is alert for any suitable prey, including this anole (*Norops limifrons*), **top right**, it is mainly intent on catching the hummingbirds that are frequent visitors to heliconia flowers. The Oropel's golden skin may itself be attractive, for hummingbirds are inquisitive, always ready to investigate bright patches of color that might signal a new source of nectar. But even with this advantage, there is no guarantee of success. Hummingbirds, including this Rufous-tailed Hummingbird, **bottom right**, have lightning fast reactions and amazing powers

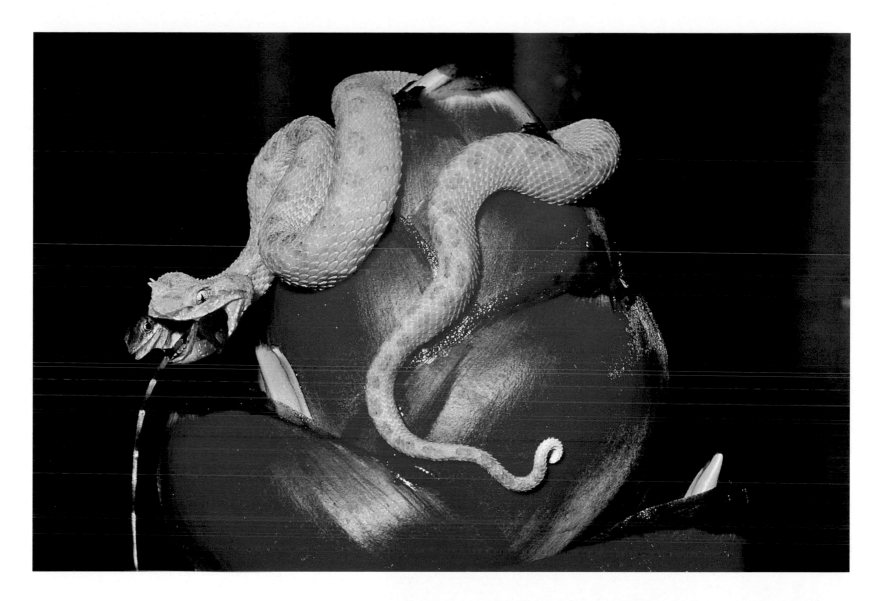

En este caso, lo más sustancioso que pudieron morder los colmillos de la serpiente fueron las plumas de la cola del ave.

of flight. In this case, the viper's fangs struck nothing more substantial than the feathers of the hummingbird's tail.

La cascabela muda, **a la izquierda**, es la vipérida más grande del mundo, con longitudes de hasta tres metros en Costa Rica. Los adultos se alimentan de ratas espinosas y otros pequeños roedores.

Las terciopelos adultas, **arriba,** que alcanzan longitudes de dos metros, prefieren presas mayores, como zarigüeyas y conejos. Las terciopelos jóvenes cazan ranas y lagartijas, y pueden tragar presas de más de una vez y media su propio peso.

Ambas especies están muy bien camufladas y emboscan sus presas, por lo que, a menudo, se sitúan a la orilla de los senderos, lo que puede ser desconcertante para las personas. Estas dos serpientes tienen una pésima reputación; sin embargo, a pesar de que son muy peligrosas y están siempre dispuestas a defenderse, no son agresivas. Su verdadero peligro radica en su camuflaje y capacidad de permanecer inmóviles, por lo que es fácil pararse accidentalmente sobre ellas, lo que, desde el punto de vista de la serpiente, constituye una severa provocación. Pero, aun cuando se las perturbe, prefieren no malgastar su veneno en algo que es demasiado grande para comérselo y, a menudo, amenazan desde lejos como diciendo: "Déjenme tranquila, o si no..."

The Bushmaster, **left**, is the biggest viper in the world, reaching a length of three meters in Costa Rica. In spite of their great size, adults prey on spiny rats and other small rodents. Adult Terciopelos, **above**, which reach a length of two meters, prey on larger animals than do Bushmasters, including opossums and rabbits. Young Terciopelos eat mostly frogs and lizards and can swallow prey more than one and a half times their own weight. Both the Bushmaster and the Terciopelo are well camouflaged and ambush their prey. Big individuals often sit at the edge of a forest trail, waiting for passing prey (which can be disconcerting to people who also use the trail). Both these vipers have an evil reputation. Although they are very dangerous and readily defend themselves, they are not exactly aggressive. Their real danger lies in their superb camouflage, sluggish behavior and reluctance to move. It is easy to step on one accidentally - a severe provocation from the point of view of the snake. But even when aroused, Bushmasters and Terciopelos may be reluctant to waste their venom on something that is too big to eat. They often make warning strikes from out of range. They are simply saying "Leave me alone, or else!".

La bejuquilla de cabeza chata, **a la derecha**, es una especie de culebra nocturna común que se alimenta de anolis. Estas lagartijas duermen en la punta de ramas delgadas, donde difícilmente pueden ser sorprendidas por serpientes u otros depredadores. Sin embargo, la bejuquilla es muy larga y delgada, y sus vértebras modificadas le permiten extender su cuerpo horizontalmente, por más de la mitad de su longitud total. Con tal habilidad, puede alcanzar un anolis dormido desde una rama cercana, sin alertarlo. La araña que se aprecia en la fotografía, simplemente pasaba por allí.

La zopilota o musarana, **arriba**, es una culebra muy conocida en América Central y América del Sur. Llega a medir más de dos metros. Se alimenta, exclusivamente, de otras serpientes, a las que mata por constricción; entre sus presas se encuentran las venenosas cascabelas mudas y terciopelos, puesto que es inmune a sus venenos. La zopilota es una de las pocas serpientes que no es matada, a primera vista, por los campesinos de estas zonas.

Ambas especies aquí mostradas son muy dóciles y tranquilas cuando se las captura y no intentan morder cuando se las manipula.

The Blunt-headed Vine Snake, **right**, is a common nocturnal species. It preys on sleeping anoles, which pass the night at the end of a thin branch, where it is difficult for a snake (or other predator) to catch them by surprise. However, the Blunt-headed Vine Snake is long and very thin, with modified vertebrae which enable it to extend its body horizontally and unsupported for more than half its length. With this ability it can reach a sleeping anole from an adjoining branch without being detected. The spider in the picture just happened to be passing by.

The Musurana, **above**, is a famous snake in Central and South America. It reaches a length of over two meters and feeds exclusively on other snakes, including venomous Bushmasters and Terciopelos. It kills its prey by constriction and is immune to the venom of vipers. The Musurana is one of the few snakes that is not killed on sight by country people in Central and South America.

Both these snakes, even the powerful Musurana, are remarkably gentle when caught and handled. They never attempt to bite.

La rana de ojos rojos, **abajo a la izquierda**, es una de las especies de rana más coloridas en todo el mundo, aunque se conoce muy poco sobre la función de sus brillantes colores. No sucede lo mismo con su pariente cercana, la rana barreteada, **arriba a la izquierda**, que duerme durante el día en posición críptica, plana sobre una hoja, con las patas plegadas contra los coloridos costados y los ojos bien cerrados, de manera que sólo sus partes de color verde hoja quedan expuestas. Posiblemente los colores brillantes se expongan si la rana es detectada por un depredador, como un anuncio de su mal sabor.

Otra pariente, la rana voladora de Spurrell, **arriba**, es una de las ranas "voladoras". No es que pueda volar realmente, pero planea o flota en el aire mediante sus extensas membranas interdigitales, que retardan su caída. Puede alcanzar un ángulo de planeo de 45º y cambiar ligeramente de rumbo inclinando las manos. (Una analogía cercana a este comportamiento sería el deporte de los planeadores). Probablemente, las ranas "voladoras" utilizan su habilidad planeadora para lanzarse de un árbol a otro en el dosel del bosque y así escapar de depredadores arborícolas.

The Red-eyed Frog, **bottom left**, is one of the most colorful frogs in the world. Even so, little is known about the function of its brilliant colors, nor those of its close relative, the Barred Frog, **top left**. In daylight, when colors are visible, these frogs are asleep in a cryptic position, plastered flat against a leaf. Their limbs are folded against their gaudy flanks and their eyes are shut so that only the leaf green parts of their body are exposed. Perhaps the colors are displayed if the frog is detected by a predator, warning of a noxious taste.

Spurrell's Flying Frog, **above**, is closely related to the Red-eyed and Barred Frogs. It cannot really fly, but glides or parachutes, using the extensive webbing between its spread fingers and toes to slow its descent. It can achieve a gliding angle of about 45 degrees and can steer to some extent by tilting its hands. The most apt analogy is paragliding. Presumably, "flying" frogs make use of their gliding ability to get from tree to tree in the canopy and to escape arboreal predators.

En las regiones templadas del globo, la mayoría de las ranas ponen sus huevos en el agua, y sus renacuajos se desarrollan sin ningún cuidado paternal, mientras que las estrategias de las ranas tropicales son mucho más diversas.

Se nota la tendencia a independizar la reproducción del agua; y aumentar del cuidado paternal de los huevos y los renacuajos. La ranita de vidrio, reticulada **a la derecha**, deposita sus huevos en hojas sobre corrientes de agua: el macho, a veces acompañado de la hembra, permanece cerca de la masa de huevos y, cuando falta la lluvia, los humedece con agua de su vejiga. También los protege de parásitos, como avispas y una mosca (*Drosophila* spp.). Las ranas de lluvia, no tienen renacuajos acuáticos. Las hembras ponen sus huevos en sitios húmedos bajo troncos, musgo u hojarasca. Invierten toda su energía reproductiva en pocos huevos de gran tamaño; cada embrión dispone de suficiente vitelo para completar su metamorfosis y salir ya como una pequeña ranita, **arriba**. A la hora de salir del huevo, las ranitas rompen la cápsula gelatinosa que las protege con una diminuta espina córnea que tienen al final del hocico.

In the temperate zones most frogs lay their eggs in water, leaving their tadpoles to develop without any parental care. The breeding strategies of rain forest frogs are more diverse. There are two clear linked trends: - one for their breeding to become independent of water, the other for increased parental care of the eggs and tadpoles. Glass frogs, including the Reticulated Glass Frog, **right**, illustrate both trends. The female lays her eggs on leaves overhanging streams. The male, sometimes accompanied by the female, stays close to the eggs and in dry weather moistens them with water from his bladder. He also protects the eggs from parasitic wasps and flies (*Drosophila* spp.). Rain frogs dispense with aquatic tadpoles altogether. Females lay their eggs in damp places under logs, moss or leaf litter. They invest all their available resources in just a few enormous eggs, giving each embryo sufficient yolk to completely metamorphose into a tiny frog, **above**. When the froglets are ready to hatch, they rip through the protective jelly capsule that surrounds them, using a tiny, horny spike on the end of their nose. Like the egg tooth of a baby bird, the spike is shed soon after hatching.

La reproducción y el comportamiento paternal de la ranita venenosa roja resultan mucho más elaborados de lo que se esperaría de una rana. Los machos son territoriales y pasan la mayor parte del día perchados en un sitio ventajoso y repitiendo incesantemente su canto-zumbido, **arriba**. Cuando se establecen peleas entre machos vecinos, lo que ocurre con cierta frecuencia, luchan fieramente, **arriba a la derecha**. Los rivales forcejean durante una hora o más dando vueltas por el piso del bosque, entrelazados, pateando y empujándose; incluso se levantan sobre sus patas posteriores y pelean como dos diminutos luchadores. La fiereza de la lucha es una demostración de la importancia del territorio, que provee de un área donde cantar para atraer hembras, cortejarlas y un sitio seguro para que pongan sus huevos. Una vez que el macho ha logrado atraer y conquistar una hembra, esta pone cerca de una docena de huevos relativamente grandes, escondidos, normalmente, bajo la hojarasca. Ambos padres se encargan del cuidado de los huevos y los mantienen siempre húmedos. Después de la eclosión, la madre permite a los renacuajos subirse a su espalda, **abajo a la derecha**, y los transporta, uno a uno, árbol arriba para

The breeding and parental behavior of the Strawberry Poisondart Frog are far more elaborate than one expects in a frog. Males are territorial and spend much of the day perched on some vantage point, endlessly repeating their buzzing call, **above**. When fights develop between neighboring males, as they often do, they are fiercely fought, **top right**. The rivals may struggle for an hour or more, rolling over and over on the forest floor, locked together, butting, kicking and pushing. They even stand on their hind legs and fight like wrestlers. The fierceness of the fighting is a measure of the importance of their territory, which provides calling sites from which to attract females, an area for courtship, and sites where the female can lay her eggs. Once a female has been won, she lays about a dozen relatively large eggs, usually hidden in leaf litter. Both parents care for them, returning often to moisten them with water. When the eggs hatch, the female allows the tadpoles to wriggle onto her back. Carrying one at a time, **bottom right**, she climbs a tree and deposits each in a tiny pool in a water-filled bromeliad or knot-hole. The next step is extraordinary. The female remembers where she has

depositarlos separada-
mente en el pequeño
estanque formado entre
las hojas de una brome-
lia epífita o en un hueco
en el árbol. El siguiente
paso es extraordinario:
la madre recuerda dón-
de ha depositado cada
renacuajo y regresa cada
cierto tiempo para pro-
veerlo de un huevo no
fertilizado a fin de com-
plementarle la dieta.

put the tadpoles and
returns every few days.
She provides any tad-
pole that has survived
with an unfertilized egg
to supplement its diet.

Las hormigas arreadoras se llevan una larva de un panal de avispas, **a la izquierda**, y dos mariposas itomíinas (*Hypothyris euclea* y *Heterosais edessa*) se alimentan en una cuita de pájaro, **a la derecha**. Los bosques lluviosos son conocidos por lo intrincado de las relaciones entre los animales que allí viven. Entre las más esotéricas se encuentra la que se establece entre las mariposas itomíinas, que siguen de cerca las invasiones de hormigas arreadoras. Estas invasiones, que pueden involucrar a más de medio millón de hormigas, son también seguidas por muchas aves, especialmente por los pájaros hormigueros de la familia Formicariidae. Los pájaros se alimentan de las hordas de insectos y otros invertebrados que escapan de las hormigas invasoras. Estos pájaros permanecen todo el día acompañando las hormigas y depositan una buena cantidad de cuitas en las cercanías, consideradas como excelente comida por las hembras de varias especies de itomíinos, que probablemente obtienen así los compuestos de nitrógeno necesarios para la producción de huevos. La conexión es clara: como una buena forma de obtener cuitas frescas, las mariposas itomíinas siguen las invasiones de hormigas arreadoras, a las que localizan mediante el olor característico que genera la invasión.

Army ants carrying off a larva from a wasp's nest, **left**, and two ithomiine butterflies *(Hypothyris euclea* and *Heterosais edessa)* feeding on a bird dropping, **right**. Rain forests are famous for the intricacy of the relationships between the animals that live there. Among the more esoteric connections is that which causes female ithomiine butterflies to follow raiding swarms of army ants. There are several crucial factors in the relationship. Raiding swarms, which may include more than half a million ants, are attended by many species of birds, especially antbirds in the family Formicariidae. The birds feed not on the ants, but on the hordes of insects and other invertebrates flushed by the ants as they sweep through the forest. The birds remain throughout the day and deposit a copious supply of droppings in the vicinity of the swarm. Females of many species of

ithomiine butterflies feed on bird droppings, probably to obtain nitrogen compounds for egg production. So, the connection is clear - ithomiine butterflies follow army ants because it is a good way to find fresh bird droppings. The butterflies may use the characteristic odor of the swarms to find them.

Las bandas negras y anaranjadas son comunes en mariposas tropicales de distintos grupos. Aquí se muestran las siguientes: *Melinaea ethra* (Ithomiinae), **arriba a la izquierda**; *Lycorea cleobaea* (Danaiinae), **arriba a la derecha**; *Euiedes isabella* (Heliconiinae), **abajo a la izquierda**; y *Dismorphia amphiona* (Pteridae), **abajo a la derecha**. Las tres primeras se conocen por tener sabor repulsivo para la mayoría de los depredadores, y se dice que son miméticas mulerianas. (Así llamadas en honor a Fritz Müller, quien se dio cuenta de que el parecido entre ellas es ventajoso para todas, puesto que los depredadores sólo tienen que aprender una coloración de advertencia, en vez de varias). H. W. Bates, quien observó que el patrón tigrino de las *Dismorphia*, contrasta con la coloración blanca o amarilla típica de las otras piéridas. Sugirió, creyendo que las *Dismorphia* eran paladeables para los depredadores, que están protegidas por su semejanza con las otras, de sabor repulsivo y patrón a bandas tigrinas. Esto se conoce como mimetismo batesiano. Irónicamente, se ha descubierto que *Dismorphia* es tan repulsiva como las otras, de manera que las mariposas que inspiraron el concepto de mimetismo batesiano son, realmente, miméticas mulerianas y no batesianas.

Butterflies with a tiger-striped pattern include species from many different groups. Those seen here are *Melinaea ethra* (Ithomiinae), **top left**, *Lycorea cleobaea* (Danaiinae), **top right**, *Euiedes isabella* (Heliconiinae), **bottom left**, and *Dismorphia amphiona* (Pieridae), **bottom right**. The first three are known to be distasteful to most predators. They are Mullerian mimics, named after Fritz Müller, who collected butterflies in Brazil. Müller realized that their mutual resemblance is an advantage to all the members of the mimicry ring, because predators have to learn only one warning pattern instead of several. The concept of mimicry was first proposed by H.W. Bates. Working in the Amazon basin, Bates noticed that pierid butterflies in the genus *Dismorphia* have a tiger-striped pattern, rather than the yellow or white coloration typical of the family. He suggested that these pierids, which he regarded as palatable, are protected by their resemblance to unpalatable tiger-striped species. This is known as Batesian mimicry. Ironically, it now appears that *Dismorphia* is unpalatable as well, so the butterflies that inspired the concept of Batesian mimicry are really Mullerian, not Batesian, mimics!

Las esperanzas presentan diversidad en apariencia y formas de vida. A pesar de que las esperanzas que parecen hojas, **arriba a la derecha**, son comunes y bien conocidas, no termina uno de asombrarse de la perfección de su disfraz, que simula venas, manchas de moho y bordes arrugados. Otra (*Aganacris insectivora*), **abajo a la derecha**, es una imitadora, tanto en su coloración negro brillante con anaranjado como en su forma brincadora de caminar, de la avispa pompílida, cazadora de arañas; esta esperanza es inofensiva pero se parece tanto a la avispa, que se requiere mucha fuerza de voluntad para decidirse a coger una. La esperanza de cabeza cónica, **a la izquierda**, tiene poderosas mandíbulas capaces de producir una dolorosa herida; como otras esperanzas, come hojas, flores y frutos, pero también es depredadora de pequeñas ranas, anolis, insectos y hasta de caracoles.

Katydids are diverse in appearance and lifestyle. Although leaf katydids, **top right**, are common and familiar, the perfection of their disguise, with simulated leaf veins, mold spots and shriveled edges, never fails to amaze. The wasp katydid, **bottom right**, mimics a spider-hunter wasp (Pompilidae). It has the same shiny black and orange coloring as a spider-hunter and walks in the same jerky way. The wasp katydid is harmless, but its resemblance to a real wasp is so good that it takes will power to pick one up. The conehead katydid, **left**, has powerful jaws capable of inflicting a painful wound. Like other katydids, it eats leaves, flowers and fruits, but it is also predatory, capturing small frogs, anoles, insects and even snails.

Bosque Lluvioso del Pacífico

EL bosque lluvioso del Pacífico se encuentra desde el río Grande de Tárcoles, hacia el sur, hasta un poco más allá de la frontera con Panamá. Tiene mucho en común con el bosque lluvioso del Caribe, pero presenta una época seca mucho más definida, de unos tres meses de duración (entre enero y marzo). Cuando alcanza su clímax, es el bosque más impresionante de Costa Rica y compite con cualquiera en el neotrópico. Sus árboles son perennifolios y de gran estatura, pues algunos sobrepasan los 70 metros. Florísticamente, es el bosque más rico de América Central.

Esta formación boscosa ha permanecido aislada desde hace mucho tiempo, debido a la presencia de la cordillera de Talamanca, al este, y de zonas secas, al norte y al sur. Como consecuencia de este aislamiento, la región ha sido un centro de formación de nuevas especies, y muchas endémicas, tanto de plantas como de animales. Una de las aves, la tangara hormiguera carinegra, se halla confinada a los bosques alrededor del golfo Dulce y no cruza a la región panameña; es una de las tres especies de aves endémicas del país.

Entre las aves se presentan varios pares de especies: una, con amplia distribución en la vertiente del Caribe; la otra, restringida al bosque lluvioso del Pacífico. Entre ellas se encuentran dos especies de cusingos: el tucancillo piconaranja y el tucancillo collarejo. Otros pares los constituyen: la cotinga piquiamarilla y la cotinga nítida; el hombrecillo o saltarín cuellinaranja y el bailarín o saltarín cuelliblanco; así como el soterrey pechibarreteado y el soterrey castaño.

El aislamiento geográfico también es responsable de la ausencia de muchas especies que son comunes en otros bosques lluviosos, entre ellos el momoto piquiancho, el momoto canelo y el tucán pico iris. Algunos de los ausentes son reemplazados por especies de altitudes medias que descienden a nivel del mar sólo en estos bosques lluviosos del Pacífico. Sin embargo, otros vacíos en la avifauna permanecen sin llenar: no hay lechuzas pequeñas, ni urracas, ni caciques residentes.

Además de las aves, hay otros endémicos, entre los que se destaca el caso del mono ardilla, que puede observarse con facilidad en los parques de Corcovado y Manuel Antonio. Tiene un ámbito de distribución muy restringido y sus parientes más cercanos se encuentran en la cuenca amazónica, a casi 1300 kilómetros de distancia, al otro lado de los Andes. Debido a esta extraña distribución, se ha

◁ El dosel del bosque en la Reserva Biológica Carara.

Pacific Rain Forest

PACIFIC rain forest grows on the Pacific slope of Costa Rica, from the Rio Grande de Tarcoles south to the border with Panama and just beyond. It has much in common with Caribbean rain forest but has a more distinct dry season, lasting about three months from January to March. The mature forest is the most impressive in Costa Rica and the equal of any in the Neotropics. It is evergreen and of great stature, with trees growing to heights of over 70 meters. Floristically it is the richest forest in Central America.

The Pacific rain forest has long been isolated by the high Talamanca mountains to the east and drier forests to the north and south. Because of its geographical isolation, the region has been a center for speciation and there are many endemic plants and animals. One of the birds, the Black-cheeked Ant-Tanager, is confined to the Golfo Dulce lowlands and does not cross into Panama. It is one of only three endemic birds in Costa Rica.

Also among the birds, there are several pairs of species, one member of which has a wide range on the Caribbean slope, the other a restricted range in the Pacific rain forest. Examples include the Fiery-billed Aracari and Collared Aracari; Yellow-billed Cotinga and Snowy Cotinga; Orange-collared Manakin and White-collared Manakin; and Riverside Wren and Bay Wren.

Geographical isolation has also resulted in the absence of many birds that are common and widespread in rain forest elsewhere, among them the Broad-billed Motmot, Rufous Motmot and Keel-billed Toucan. Some of the absentees are replaced by mid-elevation birds that descend to sea level in the Pacific rain forest. But other gaps in the bird fauna remain unfilled - there are no small owls, no jays and no resident orioles in the Pacific rain forest.

Of the other endemics, one of the most interesting is the Squirrel Monkey, which can be seen easily in Corcovado and Manuel Antonio National Parks. It has a restricted range, with its nearest relatives about 1,300 kilometers away in the Amazon basin, on the other side of the Andes. Because of its odd distribution, it is thought that humans may have brought the Squirrel Monkey to Central America. If so, the introduction must have occurred a long time ago, for the Costa Rican form has diverged enough to be considered a separate species.

The canopy of Pacific rain forest in Carara Biological Reserve.

creído que la especie podría haber sido introducida en Centro-américa por el hombre; de ser así, esto debió de haber ocurrido hace tanto tiempo que la población costarricense se ha modificado lo suficiente como para ser considerada una especie diferente.

El bosque lluvioso del Pacífico sobrevive en tres parques, pero dos de ellos, Carara y Manuel Antonio, son demasiado pequeños y aislados para mantener poblaciones de jaguares, dantas y otros mamíferos de gran talla.

Por otra parte, el Parque Nacional Corcovado contiene la extensión más importante de bosques de bajura en Costa Rica. Corcovado no posee tanta diversidad de animales como algunos sitios en el Caribe, pero da la "sensación" de ser más remoto, intacto y excitante. Es un refugio importante para el jaguar y la danta, y el único lugar en Costa Rica donde hay una posibilidad real de encontrarse con una manada de cariblancos. Aquí se alojan grandes bandadas de lapas rojas; también podrían existir poblaciones remanentes del águila harpía y del águila crestada. Todas estas especies se consideran en peligro de desaparecer; si no sobreviven en Corcovado, no tendrían ninguna oportunidad del todo en Costa Rica.

Este parque yace sobre la costa del Pacífico. Una caminata a lo largo de la playa en Sirena, el área administrativa del parque, puede ser una interesante experiencia: las lapas rojas llegan a comer y a dormir en el bosque aledaño; huellas de jaguar y tortugas que salen a desovar se ven con frecuencia sobre la arena; y no es raro observar aletas de tiburón que sobresalen del agua muy cerca de la orilla.

Corcovado es particularmente emocionante por la noche. Se desarrolla un sentimiento de expectación, pues cualquier cosa podría ocurrir. ¡Y a menudo ocurre! Nuestras propias caminatas nocturnas en el bosque han estado marcadas por encuentros escalofriantes, cara a cara, con grandes serpientes, dantas y un jaguar.

En la noche, la primera señal que revela la presencia de un animal nocturno son sus ojos brillantes a la luz de las linternas. El color del brillo difiere de una especie a otra y ayuda en la identificación: es anaranjado en la martilla, amarillo pálido en el manigordo y el caucel, verdusco en el jaguar, blanco amarillento en el cabro de monte y amarillo anaranjado en el tepezcuintle. (El brillo de los ojos es producido por el tapetum, una capa reflectora debajo de la retina, presente en muchos animales nocturnos: la luz que no es absorbida por las células receptoras cuando pasa por el ojo, se refleja y así tiene otra posibilidad de estimular algún receptor.) Entre las aves nocturnas, el brillo de los ojos es rojo encendido en el cuyeo o tapacaminos y anaranjado deslumbrante en el pájaro estaca, pero opaco en las lechuzas, ya que no poseen tapetum. Entre otros animales con fuerte brillo ocular están los cocodrilos, caimanes, algunas ranas y arañas.

Pacific rain forest survives in three parks, though two of them, Carara and Manuel Antonio, are too small and isolated to support populations of Jaguars, Baird's Tapirs or other large mammals.

On the other hand, Corcovado National Park is the most outstanding expanse of lowland forest in Costa Rica. Corcovado does not have as great a diversity of animals as some Caribbean sites, but it "feels" more remote, unspoiled and exciting. It is an important refuge for the Jaguar and Baird's Tapir and the only place in Costa Rica where there is a real likelihood of a close encounter with a big herd of White-lipped Peccaries. Corcovado is home to large flocks of Scarlet Macaws and may still have remnant populations of Harpy Eagles and Crested Eagles. All these species are endangered. If they do not survive in Corcovado, they are unlikely to survive in Costa Rica at all.

Corcovado National Park lies beside the Pacific Ocean. A walk along the beach at Sirena, the park headquarters, can be an interesting experience. Scarlet Macaws feed and roost in the forest behind the beach; tracks left by Jaguars and nesting turtles are frequently seen in the sand; and it is not uncommon to see a shark's fin slicing the water just offshore.

Corcovado is especially exciting at night. There is a feeling of anticipation, that anything can happen. It often does. Spine-tingling, face-to-face encounters with big snakes, tapirs and a Jaguar have been among the highlights of our own nocturnal forays into the forest. At night, the first sign of many nocturnal animals is their brilliant eyeshine in the beam of a flashlight. The color of the eyeshine differs from species to species and can be an aid to identification. Eyeshine is orange in the Kinkajou, pale yellow in the Ocelot and Margay, greenish in the Jaguar, yellow-white in the Brocket Deer, and yellow-orange in the Paca. The brilliance of the eyeshine comes from the tapetum, a reflecting layer behind the retina of many nocturnal mammals. Light that is unabsorbed by receptor cells as it passes through the eye is reflected back and has a second chance to stimulate a receptor. Among nocturnal birds, the eyeshine is bright ruby-red in the Pauraque and dazzling orange in the Common Potoo, but dull in owls because they lack a tapetum. Other animals with strong eyeshine include crocodiles, caimans, some frogs and spiders.

Corcovado National Park has been the scene of long-term research on a variety of animals and plants, including Squirrel Monkeys, Rufous-tailed Jacamars, butterflies, ants and passion vines (Passifloraceae). The latter are at the center of a web of plant and animal interactions, involving fruit-eating mammals, hummingbirds, butterflies, bees, ants and many other insects.

Un enorme árbol con extensas gambas en el Parque Nacional Corcovado.

A massive tree with buttress roots in Corcovado National Park. ▷

El Parque Corcovado ha sido el asiento de programas de investigación a largo plazo sobre una variedad de animales y plantas, entre los que se cuentan los monos ardilla, los jacamares colirrufos, mariposas, hormigas y pasionarias (Passifloraceae). Estas últimas son el centro de una red de interacciones entre varias plantas y animales, que incluye mamíferos frugívoros, colibríes, mariposas, abejas, hormigas y muchos otros insectos. Varios biólogos han pasado muchos años en Corcovado, revelando los intrincados secretos de esta red.

La Reserva Biológica Carara, adyacente a la ribera sur del río Grande de Tárcoles, es el puesto de avanzada más al norte del bosque lluvioso del Pacífico. Para los observadores de aves es un parque especialísimo, puesto que se ven con facilidad las lapas o guacamayas rojas y muchos de los endémicos de la zona.

El puente sobre el río Grande de Tárcoles resulta particularmente adecuado para la observación de lapas cuando van a sus dormideros al final de la tarde; resaltado por los rayos del sol poniente, su plumaje brilla más vívidamente que nunca. Además, este puente brinda la rara oportunidad de un "doble premio", que consiste en la observación simultánea de dos especies en peligro: pueden verse las lapas rojas al cruzar los aires y los grandes cocodrilos que descansan en los playones arenosos del río.

Por la noche, en la boca del río, se puede contar hasta una docena de pares de ojos, o más, que brillan con la luz de una potente linterna. El número de cocodrilos en el área del Tárcoles es sorprendentemente alto, si se toma en cuenta la cantidad de personas que viven allí o que pasan diariamente por la carretera: los cocodrilos o lagartos tienen una mala reputación y los grandes individuos que se asolean sobre la arena serían un blanco fácil. Una de las razones por las que les va tan bien en Tárcoles es porque se han convertido en una atracción turística; vienen a comer cuando los boteros locales golpean la superficie del agua con carne de pollo, lo que garantiza un buen espectáculo para los turistas. Así, los cocodrilos vivos han llegado a tener valor económico, lo que le da, a esta especie, nuevas esperanzas de sobrevivir en Costa Rica.

El Parque Nacional Manuel Antonio es aún menor que Carara, pero posee mayor afluencia turística. Sus playas "perfectas para una foto" atraen tanto a turistas amantes de las playas como a naturalistas; incluso los "surfistas" y los bañistas más fanáticos no pueden pasar por alto la fauna silvestre de Manuel Antonio. Nadie puede ignorar los grandes garrobos o iguanas negras cerca de los senderos, o los monos carablanca que no se despegan de las mesas para almorzar, en espera de dádivas u oportunidades para hurtar comida. Los perezosos de tres dedos son comunes en el parque. Para aquellos que se aventuran de noche, los riachuelos son lugares excelentes para observar el zorro de agua, uno de los mamíferos más raros de Costa Rica.

Biologists have spent many years in Corcovado, unravelling the intricacies of the web.

Carara Biological Reserve, adjoining the south bank of the Rio Grande de Tarcoles, is the northernmost outpost of the Pacific rain forest. It is an excellent park for birders, as it is easy to see Scarlet Macaws and many of the Pacific forest endemics.

The bridge over the Rio Grande de Tarcoles is a particularly good place to view the macaws as they fly in to roost in the evening. Enhanced by the rays of the setting sun, their glorious plumage glows more vividly than ever. The bridge also provides a rare opportunity for an endangered species "double" - Scarlet Macaws flying overhead and big American Crocodiles dozing on sand banks in the river below.

At night at the mouth of the Rio Grande, one can count as many as a dozen or more pairs of crocodiles eyes glowing in the beam of a powerful light. The number of crocodiles in the Tarcoles area is quite surprising, especially considering the number of people that live in the area or pass through on the main highway. Crocodiles have a bad reputation and big specimens, basking in the sun, make easy targets. One reason why crocodiles are doing well in the area is that they have become a tourist attraction. They come to be fed when the local boatmen beat the surface of the water with dead chickens, which guarantees good views for the tourists. American Crocodiles are now seen to have an economic value, which brings fresh hope for their survival in Costa Rica.

Manuel Antonio National Park is even smaller than Carara and much more touristy. Its "picture perfect" beaches attract beach tourists as well as naturalists, but even the most single-minded swimmers or sunbathers find it difficult to ignore wildlife in Manuel Antonio. No one can miss the big Ctenosaur lizards along the trails, or the White-faced Capuchin Monkeys that hang around the picnic tables, waiting for hand-outs or opportunities to steal food. Three-toed Sloths are common in the park and, for those willing to venture out at night, the streams are a good place to see the Water Opossum, one of Costa Rica's oddest mammals.

There are extensive areas of mangroves along the Pacific coast of Costa Rica, especially in the Golfo Dulce, the estuaries of the Terraba and Sierpe rivers, along the lower reaches of the Rio Grande de Tarcoles and further north around the Nicoya Peninsula. Mangroves are the sole habitat of several specialised birds, notably the endemic Mangrove Hummingbird. Others include the Panama Flycatcher, Scrub Flycatcher, Mangrove Vireo and Mangrove Warbler. Mangroves are important for other reasons. They provide breeding sites for herons, ibises and spoonbills, as well as roosting sites for shorebirds. And many marine fish use the sheltered waters of mangrove swamps for spawning.

Nubes de tormenta sobre el Parque Nacional Manuel Antonio.

Storm clouds over Manuel Antonio National Park. ▷

Existen grandes extensiones de manglares a lo largo de la costa pacífica de Costa Rica, especialmente en los estuarios de los ríos Térraba y Sierpe, en la desembocadura del Grande de Tárcoles y, más al norte, en la península de Nicoya. Los manglares constituyen el único hogar para varias aves especializadas, entre las que destaca en forma notable el endémico colibrí de manglar. Adicionalmente, están el mosquero gorgigris, el vireo de manglar y la reinita de manglar, entre otros. Los manglares también son importantes por otras razones: ofrecen sitios para la reproducción de garzas, ibis y espátulas, así como lugares de refugio para aves marinas; además, muchos peces marinos emplean las aguas protegidas del manglar para procreación.

Al igual que en la vertiente del Caribe, la principal angustia respecto de la conservación del bosque lluvioso del Pacífico radica en su fragmentación. La Reserva Biológica Carara y el Parque Nacional Manuel Antonio son demasiado pequeños para mantener poblaciones viables de los animales de gran tamaño. Corcovado es lo suficientemente extenso para proveer de refugio adecuado a animales en peligro, pero enfrenta una amenaza diferente: la explotación minera ilegal, que ha causado problemas en varias ocasiones, como contaminación de los ríos, deforestación y caza ilegal.

As on the Caribbean slope of Costa Rica, fragmentation of the Pacific rain forest is a major conservation concern. Carara Biological Reserve and Manuel Antonio National Park are too small to support viable populations of large animals; and they are too isolated to be recolonized. Corcovado is big enough to provide sanctuary for endangered animals, but faces a different threat. Illegal gold miners have invaded the park on several occasions, polluting the rivers with their mining activities, cutting down trees and poaching wildlife.

Mangle caballero en la boca del río Grande de Tárcoles.

Red Mangroves at the mouth of the Rio Grande de Tarcoles. ▷

La mayoría de las pasionarias son polinizadas por colibríes o abejas, y su color, aroma (o ausencia de este) y complejidad estructural son adaptaciones para unos u otras.

Las bellas flores rojas de *Passiflora vitifolia*, muy abundantes en el Parque Nacional Corcovado, son polinizadas por colibríes. Pasan inadvertidas para las abejas, por su color, su carencia de olor y su néctar inaccesible para abejas en el fondo de la corola. De los colibríes de tierras bajas, sólo los ermitaños, como el ermitaño bronceado, **a la derecha**, tienen el pico lo suficientemente largo para llegar hasta el néctar. Las delicadas flores azules de *Passiflora foetida*, **arriba**, se abren al amanecer por unas cuantas horas y, emiten un olor poco delicado. Atraen abejas, que ven bien los tonos azules del espectro y que parecen apreciar el mal olor tanto como los humanos apreciamos los perfumes. El tallo, las hojas y las brácteas florales de *Passiflora foetida* están cubiertas con pelos glandulares los cuales secretan una sustancia viscosa que protege la planta contra herbívoros. Los insectos pequeños rápidamente quedan atrapados en esta sustancia, y aun insectos más grandes tienen que luchar para liberarse.

Most passion flowers are pollinated by hummingbirds or bees, and their color, smell (or lack of it) and complex structure are tailored for one or the other. The gorgeous red blooms of *Passiflora vitifolia*, which grow in profusion in Corcovado National Park, are hummingbird flowers. They are inconspicuous to bees, which see poorly at the red end of the spectrum, and they have no smell. They secrete abundant nectar deep inside the flower, where it is inaccessible to bees. Of the lowland hummingbirds, only the hermits, including the Bronzy Hermit, **right**, have a bill long enough to reach the nectary. The delicate blue flowers of *Passiflora foetida*, **above**, open at dawn for just a few hours and, as their name implies, emit a very indelicate smell. They attract bees which see well at the blue end of the spectrum. The bees presumably find the foul odor as agreeable as humans do perfume. The stem, leaves and floral bracts of *Passiflora foetida* are covered with glandular hairs, each of which is tipped with a droplet of sticky fluid. The droplets protect the plant against herbivores. Small insects quickly get stuck and even large ones must struggle to get free.

El mono carablanca, **arriba a la derecha**, es el mono que se observa con más frecuencia en Costa Rica. Los visitantes del Parque Nacional Manuel Antonio no pueden evitar encontrarlos, cuando bajan a la playa en busca de alimento. El mono ardilla, **abajo a la derecha**, tiene una distribución muy restringida, pero se lo ve con facilidad en los parques nacionales de Manuel Antonio y Corcovado. El mono colorado o araña, **a la izquierda**, ha desaparecido de muchas zonas donde fue común, pues se lo caza con facilidad y es apetecible por su carne y su gran tamaño.

A diferencia de las especies asiáticas y africanas, muchos monos neotropicales tienen colas prensiles, capaces de soportar todo su peso corporal. Así, su cola se convierte en una quinta extremidad. La cola del mono carablanca es semiprensil, pero arrollada en una rama puede servir como línea de seguridad para su tamaño mediano. No sucede lo mismo con el mono ardilla, cuya cola no es prensil; su pequeña talla, sin embaargo, le permite moverse sobre ramas delgadas, sin mayor riesgo de caer.

The White-faced Capuchin, **top right**, is the most easily seen monkey in Costa Rica. Visitors cannot miss it in Manuel Antonio National Park, where it visits the beaches to scrounge for food. The Squirrel Monkey, **bottom right**, has a very restricted range but is fairly easy to see in Manuel Antonio and Corcovado National Parks. The Spider Monkey, **left**, has disappeared from many areas where it used to be common. It is very vulnerable because it is large, good to eat and easily hunted.

Unlike African and Asian species, many Neotropical monkeys have a prehensile tail. Large species, like the Spider Monkey, have a fully prehensile tail which can support their whole weight. Their tail is like a fifth limb. The medium-sized White-faced Capuchin has a semiprehensile tail which can be wrapped around branches and function as a safety line. The Squirrel Monkey lacks a prehensile tail. It is small and light enough to move along slender branches without much risk of a fall.

Los perezosos de tres dedos han hecho de la pereza todo un arte: duermen cerca de 20 horas diarias y utilizan más tiempo asoleándose y rascándose que el empleado en comer y moverse de un lado a otro **a la izquierda y arriba**. A pesar de eso, son animales muy exitosos y, detrás de su enigmática sonrisa de "Mona Lisa", muestran toda una serie de adaptaciones que les permiten sobrevivir bien en el bosque lluvioso. Tienen un estilo de vida único, basado en un gasto mínimo de energía, que los lleva a vidas solitarias y a la quietud e inmovilidad para escapar de depredadores. Necesitan muy poco alimento y pueden digerir una gran variedad de hojas, incluso algunas poco apetitosas y de poco valor nutritivo, pero accesibles con un mínimo de esfuerzo. Al igual que las vacas, tienen un estómago grande y complejo, y digieren su comida con la ayuda de bacterias simbiontes. Pero, a diferencia de las vacas, su temperatura corporal desciende durante la noche; esto les economiza energía, mas implica que los procesos digestivos se hacen más lentos y hasta pueden detenerse por completo. Para calentarse en la mañana los perezosos se suben a la copa de los árboles y se tienden al sol; para ellos asolearse es una necesidad, no un lujo.

Three-toed Sloths have developed slothfulness to a fine art. They sleep for up to 20 hours a day and spend more time sunbathing and scratching themselves than feeding or moving about, **left and above**. Even so, they are very successful. Behind their enigmatic "Mona Lisa" smile lies a range of adaptations that enables them to thrive in the rain forest. They have a unique lifestyle, based on expending the minimum amount of energy. They lead solitary lives and rely on being still and quiet to escape the attention of predators. They move infrequently, often staying in the same tree for a day or two. Because they use little energy, they need little food and can make do with a variety of coarse foliage low in nutritive value but accessible with a minimum amount of effort. Like cows, they have large complex stomachs and digest their food with the aid of bacteria. Unlike cows, their body temperature drops at night. While this saves energy, it has the disadvantage that digestion slows down and may cease altogether. To warm up in the morning Three-toed Sloths climb into the tree tops and bask in the sun. For them, sunbathing is a necessity not a luxury.

Los osos desdentados, originarios de América del Sur, forman un grupo muy diferente de los demás mamíferos. Sus peculiares hocicos en forma de tubo carecen de dientes, y sus largas y pegajosas lenguas se adaptan muy bien a su dieta de hormigas y termites. El oso colmenero o tamandua, **a la izquierda**, es activo tanto de día como de noche y es, más que todo, arborícola. El gato de balsa o serafín de platanar, **a la derecha**, es estrictamente nocturno y arbóreo. Ambas especies poseen, en sus poderosas manos, garras largas y afiladas, que usan para destrozar los nidos de hormigas y termites. Como muchos otros animales arborícolas, tienen cola prensil, la cual les sirve para sostenerse mientras comen. Los osos hormigueros comen una gran variedad de hormigas y termites, aunque tratan de evitar las hormigas arreadoras, las ponerinas y otras especies que poseen ponzoñas severas. Los gatos de balsa son muy pequeños; cuando se enrollan para dormir no son mucho más grandes que una bola de tenis. A diferencia de los osos hormigueros, solamente comen hormigas, que extraen de pequeñas ramas y palitos.

The anteaters are a distinctive group of mammals that originated in South America. Their peculiar tube-like snout, lack of teeth and long, sticky tongue are related to their diet of ants and termites. The Northern Tamandua, **left**, is active by both day and night and is mainly arboreal. The Silky Anteater, **right**, is strictly nocturnal and arboreal. Both species have long sharp claws on their powerful forelimbs, which they use to rip open the nests of their prey. And, like many other arboreal mammals, they have a prehensile tail, which they use to anchor themselves while feeding. Tamanduas eat a wide range of ants and termites, though they tend to avoid army ants, ponerines and other species which have a severe sting. Silky Anteaters are tiny - not much bigger than a tennis ball when curled up asleep. Unlike Tamanduas, they eat only ants, which they extract from small branches and twigs.

119

Hace cien años la lapa roja o guacamaya roja, **a la izquierda**, era común a lo largo de las tierras bajas de Costa Rica. Hace cincuenta años todavía lo era en las tierras bajas del Pacífico, pero había desaparecido de la vertiente del Caribe. Su descenso continúa hoy: sólo queda un puñado en Guanacaste y pequeñas poblaciones cerca de la Reserva Biológica Carara y en la península de Osa.

La lora verde, **arriba**, aunque todavía es común en muchas áreas boscosas, se halla amenazada por el comercio de fauna silvestre.

A pesar de que las lapas y las loras son comedoras de frutos, son depredadoras y no diseminadoras de semillas. Los frutos dispersados por aves "quieren" ser comidos por ellas, pues se supone que las semillas van a ser dispersadas intactas, ya que su cubierta resistente a los jugos digestivos, les posibilita el pasar a través del sistema digestivo sin sufrir daño. Pero las loras tienen poderosos picos que les permiten abrir la semilla y comerse el embrión y el alimento almacenado. Al destruir semillas, las lapas y las loras se están "burlando" de la relación de beneficio mutuo que existe entre aves y plantas.

A hundred years ago the Scarlet Macaw, **left**, was common throughout the lowlands of Costa Rica. Fifty years ago it was still common in the Pacific lowlands but had disappeared from the entire Caribbean lowlands. Its decline continues today and all that remain are a handful in Guanacaste and small populations around Carara Biological Reserve and on the Osa Peninsula.

The Mealy Parrot, **above**, is still common in many forested areas, but it suffers persecution for the cage-bird trade.

Though macaws and other parrots eat fruit, they are seed predators, not seed dispersers. Bird-dispersed fruits "want" to be eaten by birds, but birds are supposed to disperse their seeds unharmed. For this reason, bird-dispersed seeds have a difficult-to-digest, protective coating which allows them to pass through a bird's digestive system unharmed. They are also hard to crack open, but parrots have powerful crushing bills that allow them to eat the enclosed plant embryos and food stores. By destroying seeds, macaws and parrots are flouting the mutually beneficial relationship that normally exists between birds and plants.

Echado sobre sus huevos puestos entre las hojas secas, el cuyeo o tapacaminos, **arriba a la derecha**, es un ejemplo soberbio de camuflaje críptico. Permanece quieto, mientras su plumaje listado y manchado, de colores castaño y café claro, armoniza muy bien con el ambiente. El cuyeo depende de su camuflaje, incluso cuando los depredadores se hallan muy cerca; sólo levanta vuelo en el último instante posible, cuando es inminente su descubrimiento. Los huevos del cuyeo, **abajo a la derecha**, no están muy bien camuflados, pero casi siempre se encuentran cubiertos por uno u otro de los padres. Por otro lado, los polluelos (también **abajo a la derecha**), son crípticos y quedan solos con frecuencia cuando los adultos andan en busca de comida.

El pájaro estaca o nictibio común, **a la izquierda**, nos da un ejemplo aún más dramático de presencia disimulada, pues cuando se posa sobre una rama parece un palo quebrado. Cuando se alarma, estira la cabeza y el cuello hacia arriba, alisa sus plumas, y sus ojos quedan convertidos en angostas hendiduras, lo que lo hace semejar, aún más, una extensión de la rama donde está posado.

Sitting on eggs laid among dead leaves, the Pauraque, **top right**, is a superb example of protective camouflage. It sits absolutely still and its streaked and mottled, brown and buff plumage blends imperceptibly with its surroundings. The Pauraque relies on its camouflage, even when predators are very close. It flushes only at the last possible moment, when discovery is inevitable. The Pauraque's eggs are not well camouflaged but they are almost always covered by one or other of the adults. On the other hand, the chicks are so well camouflaged that they can be left alone when the adults are foraging. One egg and one chick are visible in the photograph, **bottom right**.

The Common Potoo, **left**, provides an even more dramatic example of crypsis. Perched on the end of a branch, it resembles a broken snag. When alarmed it stretches its head and neck stiffly upright, sleeks its plumage and closes its eyes to narrow slits, becoming still more like an extension of the branch upon which it sits.

La rana arborícola *Hyla ebraccata* se reproduce en pantanos tanto en los bosques del Caribe como del Pacífico. El saco vocal inflado en el macho, **arriba a la derecha**, es una cámara de resonancia para ampliar el canto ronco y fuerte, que atrae a las hembras y aleja a otros machos. *Hyla ebraccata* se encuentra entre las ranas que depositan sus huevos sobre hojas en la vegetación emergente de los pantanos, **a la izquierda**, un primer paso hacia la independencia del agua para la reproducción. La hembra pone sus huevos con yemas relativamente grandes; los renacuajos crecen durante varios días antes de salir y caer al agua bajo ellos. Esta estrategia evita que los huevos sean devorados por peces y otros depredadores acuáticos, pues produce renacuajos más grandes, que están mejor equipados para evadir depredadores y competir por alimento. Los extraños renacuajos de *Hyla ebraccata*, **abajo a la derecha**, son muy coloridos y más parecen gupis. Se desconoce qué función cumple esa coloración; tal vez sirva como una advertencia acerca del mal sabor de los renacuajos.

The tree frog, *Hyla ebraccata*, breeds in swamps in both Caribbean and Pacific rain forest. The inflated vocal sac of the male, **top right**, is a resonating chamber that amplifies the harsh, rasping call, which attracts females and warns off other males. *Hyla ebraccata* is among the frogs that lay eggs on leaves emerging from the swamp, **left**, a first step towards becoming independent of water for breeding. The female lays eggs with relatively large yolks and the tadpoles grow for several days before hatching and dropping into the water below. This strategy prevents the eggs from being eaten by fish and other aquatic predators and produces large tadpoles that are better equipped to evade predators and compete for food. The unusual tadpoles of *Hyla ebraccata*, **bottom right**, are brightly colored and resemble guppies. The function of the coloration is unknown. Perhaps it warns that the tadpoles are distasteful.

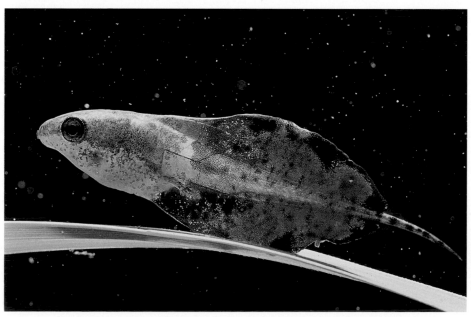

Los grupos de huevos de rana depositados en hojas que penden sobre el agua, están seguros contra los peces y otros depredadores acuáticos, pero son vulnerables a las serpientes. Dos expertos depredadores de huevos de rana son la bejuquilla ranera, **a la derecha**, y la serpiente ojos de gato, **arriba**, que aquí aparece consumiendo huevos de rana de ojos rojos.

Los grupos de huevos a menudo están concentrados en una zona angosta a lo largo del borde del agua, donde se los puede encontrar con facilidad. Mientras vadeábamos un pequeño pantano del bosque en el Parque Nacional Corcovado durante la noche, contamos 20 serpientes ojos de gato y dos bejuquillas que buscaban su cena de huevos. Se movían graciosamente entre las ramas torcidas sobre el agua, revisando cada hoja por encima y por debajo. Cada vez que una de las serpientes hallaba huevos, los atacaba como si fueran a escaparse igual que una rana adulta, lanzándose hacia adelante, aprisionándolos en sus mandíbulas, moviéndolos de un lado a otro para despegarlos y, finalmente, tragárselos en resbalosos bocados.

Clutches of frog's eggs laid on leaves overhanging water are safe from fish and other aquatic predators but they are vulnerable to snakes. Two expert predators of frog's eggs are the Plain Vine Snake, **right**, and the Cat-eyed Snake, **above**, here consuming the eggs of a Red-eyed Frog.

Clutches of eggs are often concentrated in a narrow band along the water's edge where they are easily found. While wading around the edge of a small forest swamp in Corcovado National Park one night, we counted 20 Cat-eyed Snakes and two Plain Vine Snakes searching for a meal of eggs. They glided gracefully along the spindly branches overhanging the water, searching over and under every leaf. Each time a snake found eggs, it attacked them as if they were an adult frog that might leap away. Lunging forward, it seized the eggs in its jaws, jerked from side to side to rip them free, then gulped them down in slippery mouthfuls.

Existen tres especies de ranitas venenosas de colores brillantes en el Parque Nacional Corcovado. La ranita venenosa verde, **arriba**, y la ranita venenosa granulada, **arriba a la derecha**, saltan por doquier en el piso del bosque, como pequeñas joyas vivientes. Sus atrevidos y contrastantes diseños de colores anuncian la presencia de complejos venenosos en las secreciones de su piel y advierten a los depredadores para que no las molesten.

La ranita venenosa del Golfo Dulce, **abajo a la derecha**, que también vive en el piso del bosque, es menos llamativa que las dos especies anteriores, pero mucho más tóxica. Las secreciones de su piel incluyen batracotoxinas, alcaloides complejos que producen deficiencia cardíaca. Es pariente cercana de otras tres especies suramericanas, tan venenosas que los indios de la región del Chocó, en Colombia, las usan para extraer veneno para sus flechas. La muy apropiadamente llamada *Phyllobates terribilis* es tan venenosa, que los indios envenenan sus flechas con sólo pasarlas por la espalda de la rana, lo que es suficiente para matar un ave de gran tamaño, o hasta un burro, en pocos minutos.

There are three species of brightly-colored poisondart frogs in Corcovado National park, the first two in the genus *Dendrobates*, the third in *Phyllobates*. The Green Poisondart Frog, **above**, and the Granular Poisondart Frog, **top right**, hop about on the forest floor like tiny living jewels. Their bold contrasting color patterns advertise the presence of complex poisons in their skin secretions and warn predators to leave them alone.

The Golfo Dulce Poisondart Frog, **bottom right**, also lives on the forest floor. It is less conspicuous than the two species of *Dendrobates*, but far more toxic. Its skin secretions include batrachotoxins, complex alkaloids that cause heart failure. It is closely related to three other species of *Phyllobates* that are so poisonous that they are used by Indians in the Choco region of Colombia as a source of poison for their blowgun darts. The aptly named *Phyllobates terribilis* is so deadly that the Indians do no more than wipe the points of their darts on its back. A monkey or large bird struck by a dart dies within minutes.

Bosque Seco

EN Costa Rica, el bosque seco se encuentra en la parte norte de las tierras bajas del Pacífico, donde la precipitación anual es de dos metros en promedio, y representa la extensión más sureña de una franja de bosque seco que bordea la costa pacífica centroamericana desde México. Hacia el este, asciende a las cordilleras de Guanacaste y Tilarán, donde se torna progresivamente más húmedo, hasta que, finalmente, se traslapa con los bosques nubosos. Hacia el sur, concluye en forma bien definida en el río Grande de Tárcoles.

Muchos animales extienden su ámbito de distribución en el bosque seco, como la zarigüeya de Virginia o zorro pelón, el zorrillo hediondo o mofeta encapuchada, el coyote, el tinamú canelo o perdiz, la chachalaca olivácea, el momoto cejiceleste o pájaro bobo, la urraca copetona y muchos reptiles y anfibios. El bosque seco es un importante refugio para las aves que migran de América del Norte, y en el caso de la tijereta rosada, casi la totalidad de su población se alberga aquí.

El contraste entre estaciones seca y lluviosa es mucho más marcado que en los bosques lluvioso y nuboso. La mayoría de los árboles son caducifolios y, durante la época seca, se ven resecos, grises y sin vida, abrasados por el sol y azotados por vientos desecantes. Al avanzar la época seca, algunos aguaceros aislados estimulan el florecimiento de muchos de los árboles, con lo que el otrora oscuro paisaje revive con parches de flores amarillas o rosadas esparcidos por aquí y por allá. Luego, cuando la época lluviosa inicia "en serio", el bosque se transforma rápidamente en un exuberante complejo de verdes follajes.

El bosque seco tiene una apariencia característica incluso en la época más húmeda. Los árboles adultos de varias especies, entre ellos el árbol nacional de Costa Rica, el guanacaste, son inmensos y con ramas que se extienden hasta adquirir una característica forma de sombrilla. Espléndidos ejemplares de guanacaste se pueden admirar cerca de la casona histórica en el Parque Nacional Santa Rosa. A todo el mundo le llama la atención la corteza lisa del indio desnudo o jiñote, que desprende a intervalos su corteza exterior de color rojo, y deja al descubierto la cubierta verde más joven. (El color verde es causado por una capa de cloroplastos, que le permiten al árbol fotosintetizar aun en la época seca cuando bota todas sus hojas.) Grandes áreas del suelo en el bosque están cubiertas por espesuras de la espinosa piñuela, cuyas hermosas flores rosadas son visitadas y polinizadas por mariposas y colibríes. Salientes rocosos destacan a lo largo de la costa, cubiertos de vegetación deforme y xerofítica, como agaves y cactus.

◁ Cortez amarillo en flor, en las colinas de Lomas Barbudal.

Dry Forest

IN Costa Rica, dry forest grows in the northern half of the Pacific lowlands, where annual rainfall averages about two meters. It is the southernmost extension of a strip of dry forest that once bordered the Pacific coast of Central America all the way from Mexico. Along its eastern boundary, as it ascends the Guanacaste and Tilaran mountains, the dry forest gets progressively moister, finally intergrading with cloud forest. Its southern boundary is fairly well defined and follows the Rio Grande de Tarcoles.

Many animals reach the southern limit of their range in Costa Rica's dry forest, including the Virginia Opossum, Hooded Skunk, Coyote, Thicket Tinamou, Plain Chachalaca, Turquoise-browed Motmot, White-throated Magpie-Jay and many reptiles and amphibians. Dry forest is an important wintering habitat for migrant birds from North America, including almost the whole of the world's population of Scissor-tailed Flycatchers.

In dry forest the contrast between the seasons is much more striking than in rain forest or cloud forest. Most of the trees are deciduous and during the dry season they look bone-dry, grey and lifeless, parched by the sun and blasted by strong desiccating winds. In the late dry season, occasional showers stimulate many trees to bloom, enlivening the otherwise drab landscape with scattered patches of yellow or pink flowers. When the rainy season begins in earnest, the forest is transformed within days by a lush growth of green foliage.

Dry forest has a characteristic look even in the wet season. Mature specimens of several trees, including Costa Rica's national tree, the Guanacaste, are huge with spreading branches and a characteristic umbrella shape. A splendid example of the Guanacaste tree can be seen next to the historic Casona in Santa Rosa National Park. Everyone notices the smooth barked Naked Indian or Gumbo Limbo tree. The thin outer layer of the bark is red and peels off at intervals, like sunburned skin, revealing fresh green bark below. The green color is caused by a layer of chloroplasts which enable the tree to photosynthesize even in the dry season when it has dropped its leaves. Large areas of ground in the dry forest are covered by impenetrable thickets of spiny wild pineapples. Their pretty, pink flowers are visited and pollinated by butterflies and hummingbirds. Rocky headlands along the coast support a stunted, xerophytic vegetation with agaves and cacti.

The harsh dry season is the most distinctive feature of the dry forest. It lasts for about five months, from December to

Yellow Cortez flowering on a hillside in Lomas Barbudal Biological Reserve.

El componente más distintivo del bosque seco es la dura estación seca, que se extiende por unos cinco meses, de diciembre a abril, con semana tras semana de sol ardiente y vientos feroces. Muchos animales, tales como monos, dantas, numerosos pájaros y gran cantidad de insectos, se concentran en el bosque de galería, donde algunos árboles permanecen verdes y perduran zonas húmedas en las cañadas de los riachuelos a lo largo de varios meses. Muchas mariposas salen del bosque seco y viajan a las colinas más húmedas de las cordilleras de Guanacaste y Tilarán, y algunas cruzan a la vertiente caribeña. Sin embargo, otros insectos no pueden escaparse de la sequía; por ejemplo, las zompopas u hormigas cortadoras de hojas están ligadas a sus huertos de hongos en sus inmensos nidos subterráneos. Ellas evitan lo más severo de la sequía mediante un cambio a actividades exclusivamente nocturnas y a la búsqueda de hojas que, además del valor nutritivo, posean un alto contenido de humedad.

A pesar de que la época seca es el tiempo más difícil del año para muchos animales, para otros es temporada de abundancia. Así, los polinizadores se benefician con la abundancia de néctar, debido a la gran producción de flores. Algunos árboles florecen en forma sincronizada después de los aguaceros de época seca y producen masivamente flores que perduran por unos días. La más espectacular de estas especies "big bang" es el cortez amarillo, con árboles esparcidos entre el bosque deshojado, que ofrecen un magnífico espectáculo durante varios días; producen néctar en gran abundancia para sus principales polinizadores, entre los que se cuentan varias especies de abejas solitarias. Los colibríes también se aprovechan: con sus agudos picos perforan la base de las corolas para robar el néctar. Esta época es, asimismo, muy próspera para los animales que se alimentan de semillas y para los leones de hormigas (Myrmeleontidae), que requieren suelo arenoso seco para establecer sus trampas.

La época lluviosa empieza en abril o mayo y conlleva una explosión de actividad: los árboles que han estado sin hojas durante varios meses, reverdecen con nuevo follaje. Una segunda concentración de floración trae néctar a los colibríes, abejas y otros polinizadores. Los animales abandonan su refugio en el bosque de galería y se dispersan por todo el campo. Al momento, todo el bosque está repleto de animales que se preparan para reproducirse: los pájaros cantan, las ranas croan desde sus estanques repletos y las mariposas se persiguen unas a otras entre los árboles. Algunas polillas (o mariposas nocturnas) y abejones que han pasado la sequía en forma de pupa, completan su ciclo estimulados por la lluvia y, de pronto, aparecen en cantidades enormes. Dentro de unas pocas semanas, millones de larvas se hallarán alimentándose en el tierno follaje recién formado, y servirán de alimento, a su vez, a las aves que,

April, with week after week of blistering sun and fierce winds. Many animals, including monkeys, tapirs, numerous birds and a host of insects migrate into riparian forest, where some trees remain evergreen and damp areas persist in creek beds for several months. Many butterflies migrate out of the dry forest altogether, moving to the moister foothills of the Guanacaste and Tilaran mountains, and some migrate to the Caribbean slope. On the other hand, some insects cannot escape the dry season by moving. Leafcutter ants, for example, are tied to the fungus gardens in their huge underground nests, so they avoid the driest conditions by foraging only at night. They also select leaves for their moisture content, as well as their nutritional value.

Although the dry season is the hardest time of the year for many animals, for others it is a time of plenty. There is, for example, a peak of flowering which provides nectar for many pollinators. Some trees bloom synchronously after heavy dry season showers, producing enormous masses of flowers which last for a few days. The most spectacular of the "big bang" species is Yellow Cortez. Scattered through the leafless forest, the massed yellow blossoms provide a fantastic spectacle for several days. They provide a bonanza of nectar for their main pollinators, which include several species of solitary bees. They are also visited by hummingbirds which steal the nectar by piercing the base of the corolla with their bill. The dry season is also a good time of year for animals that feed on seeds, and for antlions (Myrmeleontidae) which need dry sandy soil for their pitfall traps.

The wet season begins in late April or May and brings an explosion of activity. Trees that have been leafless for several months grow new foliage; a second peak of flowering brings nectar for hummingbirds, bees and other pollinators; and animals leave their riparian retreats and spread out through the surrounding countryside. In no time at all, the forest is alive with animals preparing to breed. Birds sing, frogs call from replenished ponds, and butterflies chase each other through the trees. Stimulated to emerge by rain, some moths and beetles appear overnight in enormous numbers, having passed the dry season as pupae. Within weeks millions of caterpillars are feeding on the flush of tender young leaves and being fed upon in turn by birds, which by then have broods of hungry nestlings clamoring for food. Speed is of the essence in dry forest - the period favorable for reproduction is more sharply defined than in wetter habitats.

It is a curious feature of the dry forest that some trees, including Guanacaste, Cenizero, Jicaro and Guapinol, bear a prolific crop of large fruits, most of which fall to the ground and rot. Significant numbers of their seeds are dispersed only on rangeland, where the fruits are eaten by horses and cows. It has

Estero Real y playa Naranjo en el Parque Nacional de Santa Rosa.

The Estero Real and Naranjo beach in Santa Rosa National Park. ▷

132

para entonces, tendrán sus propias camadas hambrientas que claman por comida. La rapidez es esencial en el bosque seco, pues el período favorable para reproducirse es mucho más corto que en los hábitat más húmedos.

Un hecho curioso en este bosque es que algunos árboles, como el guanacaste, cenízaro, jícaro y guapinol, producen una abundante cosecha de frutos de buen tamaño, la mayoría de los cuales caen al suelo y se pudren. Un número significativo de sus semillas se dispersan sólo en potreros donde los frutos han sido comidos por caballos y vacas. Se ha sugerido que hace unos 10.000 años los frutos de estos árboles fueron comidos por los grandes herbívoros de esa época (Pleistoceno), como caballos ancestrales, gomfoteres, mamuts y perezosos gigantes. Estos árboles pueden sobrevivir en el bosque seco sólo si sus semillas se dispersan adecuadamente y, en ausencia de los grandes mamíferos pleistocénicos y sus posibles equivalentes silvestres contemporáneos, los animales domésticos podrían ser buenos sustitutos en esta función. Así, a un número limitado de caballos y vacas se les permite vagar libremente en algunos de los parques con bosque seco y potreros bajo el régimen de regeneración ecológica, lo que debe contribuir a la supervivencia del guanacaste y otros árboles.

El bosque seco es un hábitat en peligro de desaparecer. Alguna vez cubrió un área del tamaño de Francia y se extendía desde México hasta Costa Rica; hoy sólo queda un 2%, casi todo en los parques nacionales de Costa Rica, donde la mayor extensión la abarcan los de Santa Rosa y Guanacaste. Estos parques son contiguos y entre ambos cubren desde la costa hasta las cimas del cerro Cacao y el volcán Orosí. Aquí se encuentran buenas condiciones habitacionales para el jaguar, la danta y tres especies de monos, mientras que los cariblancos se mantienen en los bosques más húmedos del cerro Cacao. El Parque Guanacaste mantiene el ambicioso proyecto de reforestar inmensas extensiones de potreros incluidos dentro de sus límites. Si bien es cierto que se requieren cientos de años para obtener un bosque tan complejo como el original, estos potreros podrían convertirse en un bosque cerrado de baja estatura en 20 años, lo que brindaría sitios adicionales de importancia crucial para el refugio de los animales.

El Parque Nacional Palo Verde protege, además de bosque seco, extensos humedales en las partes bajas de los ríos Tempisque y Bebedero. Estas zonas pantanosas atraen aves acuáticas que migran de América del Norte, como el pato canadiense o zarceta aliazul y otros patos, así como grandes concentraciones de garzas, cigüeñas, ibis y piches. Unas pocas

been suggested that 10,000 years ago the fruits of these trees would have been harvested by Pleistocene herbivores, including primitive horses, gomphotheres, mammoths and giant sloths. Trees like these will survive in dry forest only if their seeds are dispersed. In the absence of the Pleistocene megafauna, and contemporary wild equivalents, livestock make good substitutes. Limited numbers of horses and cows are now being allowed to range freely through some dry forest parks and regenerating pastures. This management technique should help the survival of the Guanacaste and other trees.

Dry forest is an endangered habitat. It once covered an area the size of France and stretched from Mexico to Costa Rica. Less than two percent now remains, much of it in Costa Rica's national parks. The biggest areas of dry forest remaining in Costa Rica lie within Santa Rosa and Guanacaste National Parks. The two parks adjoin each other and combine to stretch from the coast to the summits of Cerro Cacao and Volcan Orosi. They provide good habitat for Jaguars, Baird's Tapirs and three species of monkeys, while White-lipped Peccaries persist in the wetter forests on Cerro Cacao. Guanacaste National Park is the site of an ambitious project to reforest huge areas of cattle pastures that lie within the park. It should be possible to convert these pastures into a low, closed-canopy forest in about 20 years, creating crucial new habitat for dry forest animals. Of course, it will take much longer, perhaps several centuries, to make a forest with the complexity of the original.

As well as dry forest, Palo Verde National Park protects extensive wetlands in the lower reaches of the Tempisque and Bebedero rivers. These wetlands attract migrant waterbirds, including Blue-winged Teal and other ducks from North America, as well as huge concentrations of herons, storks, ibis and whistling-ducks. A few pairs of Jabiru Storks breed in the park and the large mixed breeding colony of waterbirds on Bird Island includes Black-crowned Night-Herons, Wood Storks and Roseate Spoonbills.

Numerous other parks protect small but important areas of dry forest. One of the loveliest is Lomas Barbudal Biological Reserve. Beautiful riparian forests fringe the rivers that flow through the reserve all year round, providing a retreat for a multitude of animals during the harsh dry season. The reserve also supports a few specimens of the Cannonball Tree, as well as good numbers of several renowned timber trees which are now rare in Costa Rica, notably Mahogany and Rosewood (or Cocobolo).

Un indio desnudo con follaje nuevo, al inicio de la época lluviosa.

A Naked Indian (or Gumbo Limbo) tree with new foliage at the ▷ beginning of the rainy season.

parejas de galanes sin ventura o jabirús anidan en el parque; en la isla de los Pájaros se encuentra una gran colonia reproductiva de varias especies: la chocuaca o martinete coroninegro, el garzón o cigüeñón y la garza rosada o espátula rosada, entre otras.

Otros numerosos sitios protegen pequeñas pero importantes áreas de bosque seco. Uno de los más encantadores es la Reserva Biológica Lomas Barbudal, donde se encuentran bellos bosques de galería, los cuales bordean los ríos permanentes que cruzan la reserva y sirven de refugio a multitud de animales durante la dura época seca. También se hallan algunos árboles bala de cañón, y varias especies de maderas preciosas que se han hecho escasas en Costa Rica, especialmente la caoba y el cocobolo.

Además de proteger bosque seco, varias reservas y parques en Guanacaste protegen playas donde salen a poner sus huevos las tortugas marinas; playa Nancite, en el Parque Santa Rosa, y Ostional son dos de los más importantes sitios de reproducción en el mundo para la tortuga lora. En ambos lugares, decenas de miles de tortugas salen del mar, varias veces al año, en oleadas sincronizadas de ponedoras, llamadas "arribadas". Entre otras playas importantes se encuentran Naranjo (en Santa Rosa) y Playa Grande, cerca de Tamarindo, donde anida, entre octubre y marzo, la gigantesca tortuga baula.

As well as protecting dry forest, several parks and reserves protect beaches where turtles come ashore to lay their eggs. Nancite beach, in Santa Rosa National Park, and Ostional are two of the most important nesting sites in the world for the endangered Olive Ridley Turtle. At both sites, tens of thousands of turtles emerge from the sea several times a year to participate in bouts of synchronized massed nesting called arribadas. Other important beaches include Naranjo beach in Santa Rosa and Grande beach near Tamarindo, where giant Leatherback Turtles come ashore to lay their eggs from October to March.

Copiosa floración de cortez amarillo, cerca de la Reserva Biológica Lomas Barbudal.

Massed blossoms of Yellow Cortez in Lomas Barbudal Biological Reserve. ▷

En el bosque seco, las flores más espectaculares tienden a ser polinizadas por insectos, a diferencia de los bosques nuboso y lluvioso, donde este tipo de flores son polinizadas por colibríes. El cortez amarillo, **ilustrado en la página anterior**, es un buen ejemplo pues sus flores, que aparecen en masa, son polinizadas por abejas solitarias. Otro ejemplo es la pitahaya (*Selenicereus testudo*), **a la derecha**, un cactus epífito que posee una de las flores más grandes y bellas en el bosque seco; estas flores se abren por la noche y emiten un aroma fuerte, que atrae mariposas nocturnas de la familia Sphingidae. Las abejas solitarias y las esfíngidas son longevas y tienen un vuelo poderoso, por lo que deben de ser buenas transportadoras de polen a grandes distancias.

No hay muchas especies de colibríes en el bosque seco, pero a algunos pocos se los halla con frecuencia, particularmente durante la estación lluviosa. El amazilia coliazul es una especie agresiva, aun comparada con otros colibríes, y defiende vigorosamente parches de *Stachytarpheta*, **arriba**, así como flores de otras especies. Este amazilia también hurta néctar de cortez amarillo y otras flores adaptadas para la visita, y subsecuente polinización, por parte de insectos.

In dry forest, the most spectacular flowers tend to be insect-pollinated, not hummingbird-pollinated as they are in cloud forest and rain forest. For example, Yellow Cortez, **previous page**, which flowers synchronously en masse, is pollinated by large solitary bees. Another example is the epiphytic cactus *Selenicereus testudo*, **right**, which has one of the largest and most beautiful flowers in the dry forest. The flowers open at night and emit a strong perfume which attracts sphinx moths (Sphingidae). Solitary bees and sphinx moths are long-lived and fly strongly. They are probably good at moving pollen over long distances.

There are not many species of hummingbirds in dry forest, but a few are common, especially during the rainy season. The Steely-vented Hummingbird is an aggressive species, even by hummingbird standards, and vigorously defends patches of *Stachytarpheta*, **above**, and other hummingbird flowers. Steely-vented Hummingbirds also steal nectar from Yellow Cortez and other flowers that are adapted to be visited and pollinated by insects.

El congo o mono aullador, **arriba**, y el mono carablanca, **a la derecha**, son muy conspicuos en el bosque seco, particularmente durante la época seca cuando los árboles botan sus hojas. Ambos viven en grupos de hasta unos 20 individuos, pero, fuera de eso, difieren en comportamiento y ecología. Los carablanca son muy activos y viajan dos o tres kilómetros diariamente; son principalmente arbóreos, pero descienden con facilidad al suelo por comida o agua; son omnívoros y oportunistas, comen fruta y una gran variedad de animales, como polluelos y huevos de aves, lagartijas, ranas e invertebrados.

Por otro lado, los congos se mueven lentamente y son bastante sedentarios; son estrictamente vegetarianos y subsisten a base de hojas, flores y frutas. A los congos se los reconoce por sus fuertes aullidos, que se oyen a gran distancia y parecen amenazantes a los inexpertos; no obstante, aúllan sólo para delimitar sus territorios de los grupos vecinos, particularmente al amanecer y al atardecer. Asimismo, reaccionan ante estruendos que puedan parecer competencia, como las tormentas eléctricas, la caída de un árbol o el vuelo de un avión a poca altura.

The Mantled Howler Monkey, **above**, and the White-faced Capuchin, **right**, are conspicuous in dry forest, particularly in the dry season when the trees lose their leaves. Both live in troupes of up to 20 or so individuals, but otherwise differ in their behavior and ecology. White-faced Capuchins are lively and travel two or three kilometers per day. They are mainly arboreal but readily descend to the ground to feed or drink. They are omnivorous and opportunistic, eating fruit and a wide range of animal food, including birds' eggs and nestlings, lizards, frogs and invertebrates. By contrast, Howler Monkeys are slow-moving and rather sedentary. They are strictly vegetarian, subsisting on a diet of leaves, flowers and fruit. Howlers are renowned for their loud roaring calls which carry a long way and sound quite menacing to the inexperienced. Howlers roar to advertise their territories, particularly at dawn and dusk, when adjoining troupes often compete with each other. They also respond to any loud noise that sounds like competition. Peals of thunder often set them off, as does the crash of a falling tree or the roar of a low-flying aircraft.

El martín peño, **arriba**, y el chacuaco, **arriba a la derecha**, tienen una amplia distribución en Costa Rica y son especialmente comunes en la zonas pantanosas del Parque Nacional Palo Verde. El martín peño aparece en los manglares, en los pantanos de agua dulce y a la orilla de ríos y lagos, donde se alimenta de peces, ranas, cangrejos y otros invertebrados. Al chacuaco se lo ubicó por un tiempo en una familia separada, la Cochleariidae, pero evidencias recientes demuestran que es un pariente cercano de las garzas nocturnas. Tiene comportamiento gregario cuando se trata de dormir o reproducirse, pero es solitario cuando forrajea. Caza por la noche, a menudo en condiciones de mayor oscuridad que las garzas nocturnas. Existen muchas especulaciones sobre la función de su extraño pico, pero sus hábitos nocturnos dificultan las observaciones, por lo que no se puede concluir nada definitivo. El alcaraván, **abajo a la derecha**, está confinado a las zonas de bosque seco en Costa Rica, donde sólo se lo encuentra en campo abierto, potreros, áreas quemadas y claros dentro del bosque; por ello podría ser una especie beneficiada con la deforestación. Los alcaravanes son más activos al anochecer y en las noches de luna.

The Bare-throated Tiger-Heron, **above**, and Boat-billed Heron, **top right**, are widespread in Costa Rica and especially common in the wetlands of Palo Verde National Park. The Bare-throated Tiger-Heron occurs in mangroves, freshwater swamps and along the margins of lakes and rivers, where it feeds on fish, frogs, crabs and other invertebrates. The Boat-billed Heron used to be placed in a family by itself, the Cochleariidae, but recent evidence shows that it is closely related to the night-herons. It is gregarious when roosting and breeding, but solitary when foraging. It hunts at night, often in darker conditions than night-herons. There has been much speculation about the function of its strange bill, but its nocturnal habits make observations difficult and there are no definite conclusions. The Double-striped Thick-knee, **bottom right**, is restricted to the dry forest region of Costa Rica. It is a savannah species, found on overgrazed rangeland, stubble fields and burned areas. Within dry forest it is found only in scrubby openings. It is one species that may have benefitted from forest clearance. Thick-knees are most active at dusk and on moonlit nights.

Varias de las especies de serpientes de Costa Rica se hallan confinadas en la zona seca del noroeste. La cascabel tropical, **a la derecha**, es la única cascabel que se encuentra al sur de México. Es una serpiente formidable que llega a medir más de metro y medio. Presenta un comportamiento defensivo espectacular: levanta la cabeza con el cuello arqueado en forma de "S" muy por encima del suelo.

La guardacaminos, **arriba a la izquierda**, es una culebra de movimientos rápidos, activa durante el día aun en las horas de más calor y muy frecuente a lo largo de las carreteras en Guanacaste. Posee largos colmillos posteriores y, cuando la capturan, muerde fieramente e inyecta un veneno bastante fuerte para un miembro de la familia de las colúbridas que produce dolor, sangrado leve e hinchazón.

La mayoría de las culebras, como la bella corredora de cabeza verde, **abajo a la izquierda**, son inofensivas. Incluso las especies con colmillos posteriores carecen de veneno, muchas ni siquiera muerden en defensa propia. A diferencia de África y Asia, donde hay algunas especies de esta familia con mortales colmillos posteriores, en el neotrópico la guardacaminos es una de las pocas culebras de colmillos posteriores potencialmente peligrosas.

Several Costa Rican snakes are confined to the dry northwest of the country. The Tropical Rattlesnake, **right**, is the only rattlesnake to occur south of Mexico. It is a formidable snake that grows to a length of over one and a half meters. It has a spectacular defensive display, in which it raises its head in an S-coil well above the ground. The Roadguarder, **top left**, is a fast-moving diurnal snake that feeds on lizards. It is active throughout the hottest time of the day and often flushed from the side of Guanacaste roads – hence its name. It has long rear-fangs and bites fiercely when captured. Its venom is unusually potent for a rear-fanged colubrid, causing pain, bleeding and swelling.

Most colubrids, including the beautiful Green-headed Racer, **bottom left**, are harmless. Even species with rear fangs are usually innocuous; many refuse to bite in defense. There are a few deadly rear-fanged colubrids in Africa and Asia, but the Roadguarder has the distinction of being one of very few neotropical colubrids that are potentially dangerous.

Las hormigas se encuentran por doquier en los bosques tropicales, aun en los secos, y muchas especies mantienen relaciones de beneficio mutuo con otros organismos. Varias de ellas, como *Ectatomma tuberculatum*, **a la izquierda**, protegen grupos de membrácidos a cambio de secreciones azucaradas. Estas hormigas estimulan la secreción de estas sustancias mediante golpes que dan a las ninfas con sus antenas.

Una vista familiar en todos los sitios boscosos de Costa Rica: las columnas de zompopas o cortadoras de hojas, **abajo a la derecha**, mientras acarrean fragmentos de hojas. Las zompopas utilizan estos fragmentos para cultivar huertos de hongos en el interior de sus enormes habitaciones subterráneas, donde se alojan hasta cinco millones de obreras. Estas obreras proveen de un buen sustrato para el crecimiento de los hongos, al masticar las hojas y añadirles enzimas esenciales. En retorno, los hongos producen engrosamientos especiales (gongilidios) que sirven de alimento a las hormigas. En otras palabras, las hormigas utilizan los hongos para convertir hojas en alimento. Nótense las minúsculas obreras que viajan "gratis" sobre los fragmentos de hojas: su función es prevenir que moscas parásitas depositen sus huevos sobre las obreras mayores.

La sorprendente relación que existe entre las hormigas del cornizuelo y el cornizuelo fue originalmente descrita en el siglo XIX, por Thomas Belt, un naturalista inglés. Los cornizuelos dan abrigo y alimento a las hormigas: por un lado, sus gruesas espinas son huecas y en su interior las hormigas hallan albergue; por otro, el néctar de los nectarios extraflorales y los cuerpos de Belt (pequeños trozos proteicos que crecen en la punta de las hojuelas tiernas) proporcionan alimento, **arriba a la derecha**. Las hormigas compensan estos beneficios mediante protección a la planta: cortan con sus mandíbulas los bejucos que tratan de enredarse en esta y destruyen toda plántula que empiece a crecer dentro de un área de varios metros a la redonda. Asimismo, las hormigas remueven larvas y otros insectos herbívoros del follaje; además, pican con la suficiente ferocidad como para alejar venados y ganado que intenten comerse las hojas.

Ants are ubiquitous in tropical forests, including dry forest, and several species have mutually beneficial relationships with other organisms. For example, many species of ants, including *Ectatomma tuberculatum*, **left**, protect treehoppers (Membracidae) in return for honeydew. The ants stimulate the flow of honeydew by stroking the nymphs with their antennae.

Columns of leafcutter ants, **bottom right**, carrying fragments of leaves are a familiar sight in all forest habitats in Costa Rica. Leafcutter ants use the leaf fragments to cultivate fungus gardens in their huge underground nests, which house up to five million workers. The workers provide the fungi with a good substrate on which to grow by masticating the leaves and adding essential enzymes. In return, the fungi produce special swollen bodies (gongylidia) for the ants to eat. In effect, the ants use the fungi to convert leaves into food. Note the tiny workers (minims) riding "shotgun" on the leaf fragments. They are there to prevent parasitic flies from laying eggs on the larger workers.

The remarkable relationship that exists between acacia ants and ant acacias was first described in the nineteenth century by Thomas Belt, an English naturalist. The acacias provide the ants with both shelter and food. Their swollen thorns are hollow, providing the ants with living quarters. Food is provided in the form of nectar, exuded by extrafloral nectaries, and Beltian bodies - small pieces of protein that grow on the tips of young leaves, **top right**. The ants reciprocate by providing a protection service. They chew through the stems of climbing vines and destroy all competing seedlings within a radius of one to several meters. They also remove caterpillars and other herbivorous insects from foliage and sting fiercely enough to deter browsing deer and cattle.

Durante los difíciles cinco meses de la época seca, las mariposas escasean en el bosque seco. Algunas se refugian en los bosques riparios, donde se congregan en sitios húmedos a lo largo de riachuelos. Muchas otras abandonan completamente el bosque seco y migran a selvas más húmedas en las laderas de las montañas en las cordilleras de Guanacaste y Tilarán. Algunas migran a través de pasos en las cordilleras hasta el bosque lluvioso en la región caribeña. La mayoría de las migrantes son piéridas o itomíinas (espejitos), pero las hay de todas las familias. Ejemplos típicos de estos migrantes son: el espejito *Mechanitis polymnia*, **arriba a la izquierda**, aquí en flores de siete-negritos; la piérida *Phoebis rurina*, **arriba a la derecha**, que se alimenta de la balsaminácea *Impatiens wallerana* en el bosque nuboso; y la orión o *Historis odius*, **a la derecha**, aquí sobre higos en descomposición. Hay evidencia de que muchos otros insectos buenos voladores, como esfíngidos, avispas y abejas, dejan el bosque seco durante la época de sequía.

During the harsh, five months of the dry season, butterflies are scarce in the dry forest. Some retreat into riparian forest, where they congregate at damp spots along creek beds, and many leave the dry forest altogether, migrating to wetter forests on the slopes of the Guanacaste and Tilaran mountains. Some migrate through mountain passes as far as the Caribbean rain forest. Migrant butterflies are very prevalent among the whites and sulphurs (Pieridae) and glasswings (Ithomiinae), but there are some in every butterfly family. Typical examples of species that migrate between the dry forest and the mountains include a tiger-striped ithomiine (*Mechanitis polymnia*), **above left**, here feeding at Lantana; a sulphur butterfly (*Phoebis rurina*), **above right**, feeding at *Impatiens wallerana* in cloud forest; and a nymphaline butterfly (*Historis odius*), **right**, at rotting figs. There is evidence that many other strong-flying insects leave the dry forest for the duration of the dry season, including sphinx moths, wasps and bees.

Las larvas de insectos son de los más importantes herbívoros en el bosque tropical seco y representan una amenaza mayúscula para las plantas. A fin de limitar este daño, las plantas mantienen una guerra química contra estos y otros herbívoros, para lo que producen inmensa variedad de sustancias químicas muy potentes y bien conocidas, como taninos, cianuro, estricnina, cafeína y nicotina. La mayoría de esas sustancias simplemente tienen mal sabor, pero algunas son mortales si se ingieren aun en cantidades minúsculas. Algunas plantas producen hormonas juveniles que retrasan o aceleran el desarrollo larval, lo que resulta en adultos anormales.

Pero no hay defensa perfecta: algunos herbívoros, incluso muchas larvas de insecto, tienen la habilidad de desintoxicar y excretar estas sustancias, en tanto que otros pueden almacenarlas para su propia defensa. Las larvas así protegidas lo anuncian con colores de advertencia, con lo que resultan fácilmente reconocibles y evitables para los depredadores que han cometido el error de atacarlas una vez. Por ejemplo, las larvas del esfíngido del cacalojoche, **arriba a la izquierda**, se alimentan de hojas de cacalojoche, árbol de la familia de las apocináceas, bien conocida por sus toxinas. Su diseño de anillos negros, rojos y amarillos, parecido al de la serpiente coral, les indica a los depredadores que son venenosas. Adicionalmente, el parecido con las corales se enfatiza con la forma en que la larva se mueve cuando se la molesta.

Las larvas de una especie de polilla *Automeris*, **arriba al centro**, están protegidas por espinas vidriosas huecas que perforan la piel y se quiebran adentro con el menor contacto. Estas espinas contienen histamina y acetilcolina, sustancias que, al mezclarse, causan un dolor insoportable. En cambio, las larvas de *Ptiloscola dargei*, **arriba a la derecha**, tienen espinas que, aunque parecen feroces, en realidad son inofensivas; así, su semejanza con su pariente venenoso *Automeris* es "puro cuento".

Caterpillars are among the most important herbivores in dry forest and pose a major threat to plants. To limit the damage inflicted upon them, plants wage chemical warfare on these and other herbivores. They produce a vast range of potent chemicals, including such well-known substances as tannins, cyanide, strychnine, caffeine and nicotine. Most merely taste nasty but some are deadly if consumed in even minute quantities. Some plants produce juvenile hormones that delay or accelerate larval development, producing abnormal butterflies and moths.

But no defenses are perfect. Some herbivores, including many caterpillars, have the ability to detoxify and excrete the chemicals. Others isolate and store the chemicals for their own defense. Caterpillars protected in this way advertise themselves with warning colors. They are easily recognized and avoided by predators that have once made the mistake of attacking them. For example, the caterpillars of the Frangipani Sphinx Moth, **above left**, feed on the leaves of Frangipani, a member of a plant family (Apocynaceae) well

known for its toxins. Their black, red, and yellow ringed pattern warns predators that they are poisonous. The caterpillars may also benefit from their resemblance to a venomous coral snake, a resemblance that is enhanced by the way the caterpillars thrash around when molested.

These caterpillars of a silkmoth (*Automeris* sp.), **above center**, are protected by bristling, hollow spines that pierce the skin of a predator and break off at the slightest contact. They contain histamine and acetylcholine, chemicals that cause excruciating pain when mixed. Another silkmoth caterpillar (*Ptiloscola dargei*), **above right**, has ferocious-looking spines which are really harmless. Its resemblance to *Automeris* is pure bluff.

Innumerables larvas herbívoras se alimentan de las hojas tiernas que brotan al inicio de la época lluviosa en el bosque seco. Estas larvas constituyen abundantes hospederos para larvas de avispas y moscas parásitas. En esta fotografía, una mosca taquínida ha adherido unos 20 huevecillos en esta larva de la mariposa caraxina *Archaeoprepona demophon*, **a la izquierda**. Cuando los huevecillos eclosionan, las larvitas perforan la piel de la oruga y se alimentan de sus tejidos internos, luego de lo cual horadan un agujero de salida para pupar en el suelo del bosque; este proceso, normalmente, implica la muerte de la oruga.

Hay varias familias de avispas con especies parásitas de orugas, como Braconidae, Chalcidae e Ichneumonidae. Las bracónidas usan su ovipositor para introducir hasta cien huevecillos o más dentro del cuerpo de la oruga; cuando las larvas maduras salen de la víctima, pupan sobre el cuerpo de esta, **arriba**. Otras avispas, como todas las especies en la familia Trichogrammatidae, parasitan huevos de mariposa; como es de esperarse, estas se encuentran entre los insectos más diminutos: ¡se han observado hasta 60 avispas adultas que salían de un solo huevo de mariposa!

In the dry forest, countless millions of caterpillars feed on the tender young leaves that sprout at the beginning of the rainy season. They provide abundant hosts for parasitic wasps and flies, which lay their eggs in or on caterpillars. A tachinid fly, for example, has glued about 20 white eggs on this caterpillar of a charaxine butterfly (*Archaeoprepona demophon*), **left**. When they hatch, the fly larvae burrow into the caterpillar and feed on its internal tissues. Once they are fully developed they chew a hole out of the host and pupate in the ground. The host caterpillar usually dies.

Wasps from several families parasitize caterpillars, including members of the Braconidae, Chalcidae and Ichneumonidae. Braconids use their ovipositor to lay as many as 100 or more eggs within the body of a caterpillar. When the mature larvae emerge from the doomed host, they often pupate on its body, **above**. Other wasps, including all those in the family Trichogrammatidae, parasitize butterfly eggs. As might be expected, they are among the most minute of insects as many as 60 adult wasps have been recorded emerging from a single butterfly egg!

Las tortugas verdes del Pacífico oriental se diferencian en varios aspectos de las del Atlántico, a tal punto que a veces se consideran especies distintas. Esta pareja de tortugas verdes del Pacífico, **arriba**, están copulando cerca de una de las playas de cría en Guanacaste. El macho tiene espinas en sus aletas, para enganchar en el caparazón de la hembra durante la cópula.

La serpiente de mar, **a la derecha**, es común a lo largo de la costa pacífica de Costa Rica. Este ejemplar fue fotografiado, cerca de playa Hermosa, en la bahía Culebra (nombrada así en 1519, por el español Gaspar de Espinosa, debido a las "innumerables culebras" que allí vio). Las serpientes de mar flotan pasivamente en la superficie en mar abierto, por lo que acaban junto con trozos de madera, algas marinas y otros materiales a la deriva, donde se alimentan de pequeños peces pelágicos. Estas serpientes tienen una curiosa forma de mudar de piel: ante la ausencia de superficies ásperas contra las cuales restregarse, hacen un nudo con su propio cuerpo y se deslizan a través de él, dejando atrás su piel antigua.

Green Turtles in the eastern Pacific differ in several ways from those in the Atlantic and the two forms are sometimes regarded as separate species. This pair of Pacific Green Turtles, **above**, is mating off one of the Guanacaste breeding beaches. Note that the male has spines on its flippers which hook over the female's carapace and help keep the pair together.

The Yellow-bellied Seasnake, **right**, is common along the Pacific coast of Costa Rica. Appropriately enough, this one was photographed in Bahia de Culebra (Snake Bay), off Playa Hermosa. The bay was named in 1519 by the Spaniard, Gaspar de Espinosa, after the "innumerable" seasnakes that he saw there. Yellow-bellied Seasnakes have a pelagic lifestyle. They live at the sea surface and drift passively, ending up in drift lines where ocean currents meet, along with drift wood, seaweed and other floating debris. They feed on the small pelagic fish which habitually gather beneath floating objects. Yellow-bellied Seasnakes have a curious way of shedding their skin. With no rough surface to rub against, they tie themselves in a knot and then crawl through it, leaving their skin behind.

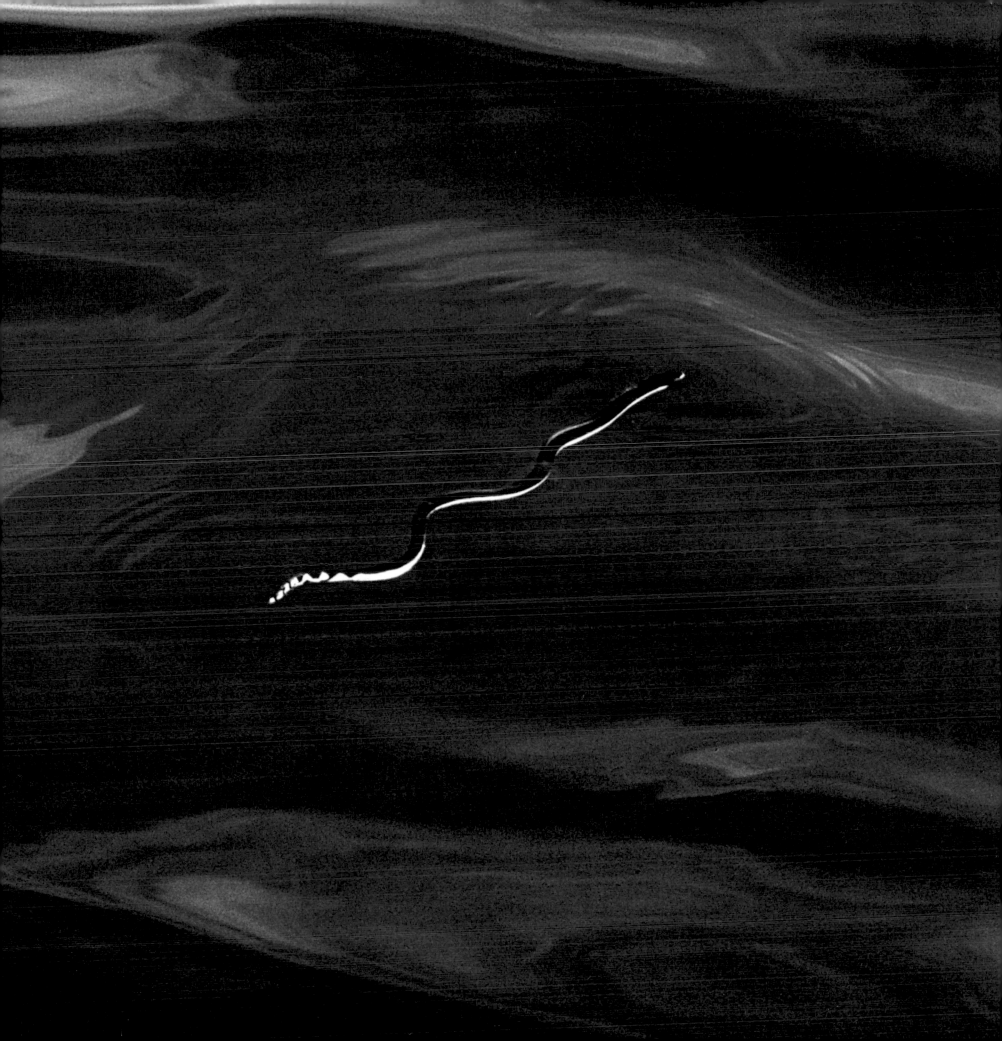

La Fundación Neotrópica

La Fundación Neotrópica es una organización no gubernamental y sin fines de lucro que, desde 1985, realiza esfuerzos por lograr un equilibrio entre el bienestar de la población y la protección de los recursos naturales con proyección a todo el neotrópico.

Desarrolla sus actividades en cuencas hidrográficas y comunidades aledañas a parques nacionales, con el objetivo de restaurar el recurso natural y mitigar los impactos de las actividades agrícolas, industriales y agroindustriales, lo cual afecta directamente la calidad de vida de los habitantes. Estas actividades se enmarcan en cuatro programas de trabajo:

• Manejo de Recursos Naturales. Su objetivo consiste en promover actividades económica, social y ambientalmente viables a partir del uso sostenible de los recursos naturales. Algunos ejemplos prácticos de este programa son los zoocriaderos de tepezcuintles e iguanas, la ganadería sostenible, el manejo de productos tradicionales y no-tradicionales del bosque, así como la conservación de la biodiversidad.

• Autogestión Comunitaria. Busca potenciar el autodesarrollo comunitario y la amplia participación de todos los sectores. Este programa se desarrolla por medio de talleres en organización y gerencia, fomento y crédito comunal, fortalecimiento comunal e individual, entre otras actividades.

• Educación Ambiental y Divulgación. Pretende generar cambios de actitud, en los individuos, que propicien el mejoramiento socioeconómico y ambiental de la población costarricense. Para lograr lo anterior, se organizan campamentos con estudiantes nacionales y extranjeros, se divulgan y diseminan las metodologías de enseñanza y aprendizaje, se organizan talleres para maestros, y se publican materiales que -como este libro- contribuyen a la sensibilización y educación de la población en general.

• Políticas y Gestión. Promueve cambios en la legislación y las políticas ambientales, así como en su implementación y ejecución. También, la mejora en las formas de coordinar la gestión ambiental. Algunas de las aplicaciones prácticas son el establecimiento de alianzas y convenios con instituciones del Estado, la empresa privada y ONG nacionales y regionales.

Si usted está interesado en conocer más acerca de la Fundación Neotrópica, visítenos en nuestro web site: www.neotropica.org, o bien, escríbanos a fneotrop@racsa.co.cr.

The Neotropica Foundation

The Neotropica Foundation is a nonprofit, non-governmental organization founded in 1985 to promote a balance between human development and the protection of natural resources, with projection throughout the neotropical region.

The Foundation's projects target watersheds and communities near national parks in an effort to restore natural resources and mitigate the impact of agriculture, industry and agro-industry that directly affect the local quality of life. The various projects are organized around four main programs:

• Natural Resource Management - This program promotes economically, socially and environmentally viable activities based on the sustainable use of natural resources. These activities include paca and iguana nurseries, , management of traditional and non-traditional forest products, conservation of biodiversity, and land use planning for farms based on soil capacity.

• Community Self-Help - This program empowers the self-development capacity of communities and encourages active participation by men, women, youth, children and the elderly. Activities include organization and management workshops, community credit and outreach projects, and community and individual empowerment efforts, among others.

• Environmental Education and Dissemination - This program stimulates changes of attitude on an individual level in order to advance social, economic and environmental improvements for the Costa Rican population. Projects include camps for students from Costa Rica and elsewhere, sharing and dissemination of teaching/learning methodologies, workshops for teachers, and publication of materials—such as this book—that help educate and inform the general public.

• Policy - This program encourages change in environmental legislation and effective implementation of existing policy. It also seeks to improve coordination of environmental administration. In practical terms, this means establishing alliances and agreements with State institutions, private businesses and national and regional NGOs.

To learn more about the Neotropica Foundation, visit our web site at www.neotropica.org or write to us at fneotrop@racsa.co.cr.

Nota

De acuerdo con el Instituto Geográfico Nacional, el distrito 10 del cantón central de Puntarenas se llama **Monte Verde** y así aparece en los mapas oficiales. No obstante, hemos utilizado (en el texto en español) la designación **Monteverde** para todas las referencias a la reserva, al pueblo y a la región, al considerar que ese fue el nombre originalmente propuesto por los primeros colonos, y que la fuerza de la costumbre ha generalizado su uso en todo tipo de documentos legales, comerciales, deportivos, científicos, educativos, cívicos y otros.

Lista de Nombres científicos

List of Scientific names

Se ha procurado, en la medida de lo posible, evitar el uso de nombres científicos en el texto. Se han usado sólo los nombres en español y en inglés para todas las aves y mamíferos, ya que existen nombres estandarizados para ambos. Para las aves, se sigue la nomenclatura usada en *Guía de Aves de Costa Rica*, de Gary Stiles y Alexander F. Skutch. En el caso de los mamíferos, la base ha sido *Mamíferos de Costa Rica*, de José M. Mora e Ileana Moreira, para el español; y *Neotropical Rain Forest Mammals*, de Louise H. Emmons, para el inglés.

No existen referencias completas para los nombres comunes de las especies costarricenses de reptiles, anfibios, insectos, plantas y hongos. Por lo tanto, se han empleado los nombres adecuados disponibles y, para evitar confusiones, estos se presentan en la lista a continuación, junto con el nombre científico respectivo. Para aquellas especies sin nombre común conocido se ha incluido el nombre científico en el texto.

Las fuentes de nombres científicos para estos grupos, incluyen las siguientes publicaciones: *Herpetofauna of Costa Rica*, de Jay M. Savage y Jaime Villa; *The Butterflies of Costa Rica*, de Philip J. DeVries; *Field Guide to the Orchids of Costa Rica and Panama*, de Robert L. Dressler; *Mushrooms Demystified*, de David Arora; e *Historia Natural de Costa Rica*, editada por Daniel H. Janzen. Algunos pocos nombres de insectos han sido proporcionados por especialistas.

Whenever possible, we have avoided using scientific names in the text. We have used only Spanish and English names for all birds and mammals, because standardised names are available. For birds, we follow the nomenclature used in *A Guide to the Birds of Costa Rica*, by F. Gary Stiles and Alexander F. Skutch. For mammals, we follow *Mamíferos de Costa Rica*, by Jose M. Mora and Ileana Moreira, for Spanish names; and *Neotropical Rainforest Mammals*, by Louise H. Emmons, for English names.

There are no comprehensive sources of Spanish or English names for Costa Rican reptiles, amphibians, insects, plants or fungi. Therefore, we have used any suitable names that are available. To avoid confusion, we have listed them below, together with the appropriate scientific name. For species without suitable Spanish or English names, we have included scientific names in the text.

Our sources for scientific names of reptiles, amphibians, insects, plants and fungi, include the following publications: Herpetofauna of Costa Rica, by Jay M. Savage and Jaime Villa R.; *The Butterflies of Costa Rica*, by Philip J. DeVries; *Field Guide to the Orchids of Costa Rica and Panama*, by Robert L. Dressler; *Mushrooms Demystified* by David Arora; and *Costa Rican Natural History*, edited by Daniel H. Janzen. For a few names of insects, we have relied on identifications by specialists.

Reptiles/Reptiles

tortuga verde del Pacífico	*Chelonia agassizzi*	Pacific Green Turtle
tortuga verde del Atlántico	*Chelonia mydas*	Atlantic Green Turtle
tortuga lora	*Lepidochelys olivacea*	Olive Ridley Turtle
tortuga baula	*Dermochelys coriacea*	Leatherback Turtle
cherepo	*Basiliscus plumifrons*	Emerald Basilisk
garrobo	*Ctenosaura similis*	Ctenosaur
zopilota o musarana	*Clelia clelia*	Musarana
guardacaminos	*Conophis lineatus*	Roadguarder
bejuquilla de cabeza chata	*Imantodes cenchoa*	Blunt-headed Vine Snake
bejuquilla ranera	*Imantodes inornatus*	Plain Vine Snake
culebra ojos de gato	*Leptodeira septentrionalis*	Cat-eyed Snake
culebra corredora	*Leptodrymus pulcherrimus*	Green-headed Racer
serpiente coral	*Micrurus nigrocinctus*	Coral Snake
serpiente de mar	*Pelamis platurus*	Yellow-bellied Seasnake
terciopelo	*Bothrops asper*	Terciopelo or Fer-de-lance
bocaracá u oropel	*Bothriechis schlegelii*	Eyelash Viper or Oropel
serpiente cascabel	*Crotalus durissus*	Tropical Rattlesnake
cascabela muda	*Lachesis muta*	Bushmaster

Anfibios/Amphibians

ranas de lluvia	*Eleutherodactylus* spp.	rain frogs
rana arlequín	*Atelopus varius*	Harlequin Frog
sapito de Holdridge	*Bufo holdridgei*	Holdridge's Toad
sapito dorado	*Bufo periglenes*	Golden Toad
rana barreteada	*Agalychnis calcarifer*	Barred Frog
rana de ojos rojos	*Agalychnis callidryas*	Red-eyed Frog
rana voladora de Spurrell	*Agalychnis spurrelli*	Spurrell's Flying Frog
rana coronada	*Anotheca spinosa*	Crowned Frog
rana lemur	*Phyllomedusa lemur*	Lemur Frog
rana mascarada	*Smilisca phaeota*	Masked Puddle Frog
ranita venenosa verde	*Dendrobates auratus*	Green Poisondart Frog
ranita venenosa granulada	*Dendrobates granuliferus*	Granular Poisondart Frog
ranita venenosa roja	*Dendrobates pumilio*	Strawberry Poisondart Frog
ranita venenosa Golfo Dulce	*Phyllobates vittatus*	Golfo Dulce Poisondart Frog
ranita de vidrio granulada	*Centrolenella granulosa*	Granular Glass Frog
ranita de vidrio reticulada	*Centrolenella valerioi*	Reticulated Glass Frog

Insectos/Insects

esperanza imitadora de avispa	*Aganacris insectivora*	wasp katydid
esperanza de cabeza cónica	*Copiphora rhinoceros*	conehead katydid
chinche patas de bandera	*Aniscocelis flavolineata*	Flag-footed Bug
zompopa	*Atta cephalotes*	leafcutter ant
hormiga arreadora	*Eciton burchelli*	army ant
hormiga del cornizuelo	*Pseudomyrmex ferruginea*	acacia ant
esfíngido del papalojoche	*Pseudosphinx tetrio*	Frangipani Sphinx Moth
escarabajo plateado	*Plusiotis chrysargaea*	Silver Beetle
escarabajo dorado	*Plusiotis resplendens*	Golden Beetle

Plantas/Plants

piñuela	*Bromelia pinguin*	wild pineapple
jengibre silvestre	*Costus* sp.	wild ginger
guaria morada	*Cattleya skinneri*	Guaria Morada
cacalojoche	*Plumeria rubra*	Frangipani
jícaro	*Crescentia alata*	Jicaro
cortez amarillo	*Tabebuia ochracea*	Yellow Cortez
indio desnudo	*Bursera simaruba*	Naked Indian Tree
guapinol	*Hymenea courbaril*	Guapinol
cocobolo	*Dalbergia retusa*	Rosewood or Cocobolo
poró	*Erythrina gibbosa*	Poro
cornizuelo	*Acacia* sp.	ant acacia
guanacaste	*Enterolobium cyclocarpum*	Guanacaste
cenízaro	*Pithecellobium saman*	Cenizaro
bala de cañón	*Couroupita nicaraguensis*	Cannonball tree
caoba	*Swietenia macrophylla*	Mahogany
mangle caballero	*Rhizophora harrisonii*	Red Mangrove
labios de mujer	*Psychotria elata*	Hot Lips
siete-negritos	*Lantana camara*	Lantana

Hongos/Fungi

hongo explosivo	*Calostoma cinnabarina*	Orange Puffball
hongo pulpo	*Aseroe rubra*	Octopus Stinkhorn
hongos asesinos	*Cordyceps* spp.	killer fungi

Índice

Los números en negrita se refieren a páginas donde se ilustran especies o lugares.

Index

Page numbers in **bold** refer to species and places that are illustrated.

Impreso por
Litografía e Imprenta LIL, S.A.
Apartado 75-1100
San José, Costa Rica
374735